LA CUISINE AVEC

AVEC

les Robots

Vous avez un robot ? Bravo.

Vous faites partie de celles qui savent profiter du progrès pour améliorer la qualité de leur vie. Pourtant êtes-vous certaine d'en profiter autant que vous le pourriez ?

Permettez-moi une question indiscrète : où est votre robot en ce moment ? Sur votre plan de travail, à portée de la main ? Oui ? Alors ce livre va vous rendre service tous les jours : il vous aidera à varier encore davantage vos menus quotidiens.

Mais si votre robot est rangé au fond d'un tiroir ou tout en haut d'un placard, si vous ne le sortez qu'une fois par-ci par-là, ou dans les grandes occasions, je vous le dis tout net : le moment est venu de changer vos habitudes !

Peut-être vous êtes-vous imaginé qu'un robot était compliqué à utiliser ?

Ou au contraire qu'il ne pouvait servir qu'à deux ou trois préparations banales, du genre carottes râpées, purée ou mayonnaise ?

Quoi qu'il en soit, vous allez découvrir l'étonnante variété de plats que l'on peut réaliser avec un robot : plats de tous les jours et des jours de fêtes, plats traditionnels ou plats nouveaux, originaux, impossibles à réussir sans cet incomparable « aide-cuisinière ». Et tout cela beaucoup plus facilement que vous ne croyez, et beaucoup plus vite.

Pour ce 4e volume de la collection, personne n'était plus qualifié que Christiane Coutau, à qui nous devons déjà « La Cuisine avec... les yaourtières, crêpières, gaufriers, sorbetières ». Elle et son équipe de cordons bleus ont essayé toutes les recettes avec tous les types de robots afin que vous, dans *votre* cuisine, devant *votre* robot, n'ayez aucun problème.

Et vous verrez qu'un robot n'est pas seulement un économiseur de temps et de travail, mais aussi une merveilleuse petite « machine-à-idées ».

Françoise Bernard

LE ROBOT : UN TRAVAILLEUR OBÉISSANT

BON-A-TOUT-FAIRE OU PRESQUE...

L e mot « robot » vient du tchèque « robota » qui, dans une pièce de science-fiction écrite par Karel Capek en 1921, désignait des « travailleurs artificiels » créés par l'homme pour exécuter à sa place les tâches les plus pénibles.

C'est exatement ce que font nos modernes robots de cuisine : ils nous libèrent d'un bon nombre de travaux longs et fastidieux, qu'ils accomplissent beaucoup plus rapidement et parfois, avouons-le, plutôt mieux que nous.

Ils savent pratiquement tout faire : battre, pétrir, mélanger, émulsionner, mixer, lier, râper, émincer, trancher, couper, hacher, broyer, moudre, écraser, presser, centrifuger, passer, tamiser, éplucher... et même ouvrir les boîtes de conserves ! Évidemment, tous ne peuvent pas tout faire. Comme nous le verrons dans les pages qui suivent, tous les robots n'ont pas été créés égaux.

GAGNE-TEMPS ET ANTI-GÂCHIS

Un robot est un excellent investissement : il gagne du temps (et chacune de nous sait combien « le temps c'est de l'argent ») mais il économise aussi de l'argent. Économie de gaz ou d'électricité par réduction ou même suppression des temps de cuisson : pensez qu'en 5 minutes, avec une carotte, un « doigt » de poireau, une tomate, un brin de céleri, un féculent quelconque et de l'eau bouillante, vous faites un délicieux potage-express pour 4 ou 5 personnes, **sans cuisson**.

Un robot évite de gâcher des ingrédients coûteux, comme ceux qui entrent dans les sauces : avec lui, impossible de les rater ! Et pour utiliser savoureusement les restes, il est irremplaçable !

GARDE-LIGNE ET OUVRE-APPÉTIT

Sur le plan santé et diététique, un robot n'a que des avantages.

Les crudités (recommandées pour le teint et bien d'autres choses) sont plus appétissantes, plus variées.

Avec un robot, il est plus facile de faire une cuisine plus légère: avis à celles (et ceux) qui surveillent leur ligne. De plus, une cuisson raccourcie préserve les vitamines et les sels minéraux.

Et les enfants, qui rechignent devant certains aliments, les mangent avec appétit et avec plaisir sous forme de purées, soufflés, mousses...

LE « ROBOT-A-IDÉES »

Mais ce qui compte avant tout, c'est le goût.

Dans ce domaine, le robot apporte beaucoup. En faisant « éclater » les cellules des aliments (notamment légumes et fruits), il libère et exalte leur saveur. En réduisant les temps de cuisson, il garde le « goût de fraîcheur ». En facilitant l'homogénéisation, il permet d'associer des saveurs jusqu'alors jamais réunies, et ainsi d'en composer de nouvelles.

Enfin et surtout, en épargnant un temps considérable, votre robot vous donne la possibilité de vous consacrer pleinement au vrai plaisir de la cuisine.

Vous allez pouvoir ressusciter d'anciennes recettes trop astraignantes lorsqu'il fallait tout faire « à la main ». Vous inaugurerez des recettes d'aujoud'hui, conçues spécialement pour les robots. Et, pourquoi pas, vous en inventerez d'inédites : variantes de recettes existantes, ou entièrement créées par vous.

Un robot, si l'on sait exploiter toutes ses possibilités, c'est la porte ouverte à la créativité dans la cuisine !

IL Y A ROBOT ET ROBOT

Lorsque l'on dit « autocuiseur », « yaourtière » ou « rôtissoire », tout le monde sait exactement de quoi l'on parle. Mais si l'on dit « robot », c'est l'incertitude la plus totale : s'agit-il d'un simple batteur pour monter les œufs en neige ou d'un « préparateur culinaire » avec une foule d'accessoires, ou encore de quelque chose entre les deux ?

En fait, c'est tout cela à la fois.

Les enquêtes montrent que la plupart des femmes appellent « robot » tout instrument muni d'un moteur électrique qui, au moyen d'accessoires divers, effectue ou facilite l'exécution d'un nombre plus ou moins important de travaux préparatoires d'ordre culinaire.

Le mot « robot » recouvre donc une grande variété d'appareils très différents par la puissance (de 140 à 2.400 W), la forme, le volume, le poids, le nombre d'accessoires et bien entendu le prix (de 150 F à 2.500 F et plus).

Pour y voir plus clair, nous avons classé les robots en trois catégories qui correspondent en même temps à trois gammes de prix et à trois principes techniques de base.

Nous allons donc examiner successivement :
- les batteurs-mixeurs
- les robots compacts
- les multi-robots.

1. Les batteurs-mixeurs*

Ce sont ceux dont on se sert en les tenant à la main : un moteur à faible consommation (140 à 200 W) fait tourner des fouets, crochets à pétrir, couteaux ou accessoires divers. Très pratiques et peu encombrants.

* **Batteurs-mixeurs** : orthographe francisée équivalent de l'orthographe anglaise plus généralement utilisée : mixer.

2. Les robots-compacts

Un maximum de services dans un minimum de volume : un bloc-moteur de puissance moyenne (220 à 600 W) est équipé d'un bol dans lequel des accessoires variés battent, pétrissent, hachent, mélangent, râpent, émincent, broient.

3. Les multi-robots

Sur un bloc-moteur puissant (300 à 2.400 W) vient s'adapter, selon le travail à effectuer l'un des appareils spécialisés (4 ou davantage) qui composent cette véritable petite « usine de cuisine » : batteur-pétrisseur, coupe-légumes, hachoir, mixer, centrifugeuse, presse-agrumes, éplucheuse, ouvre-boîtes, etc.

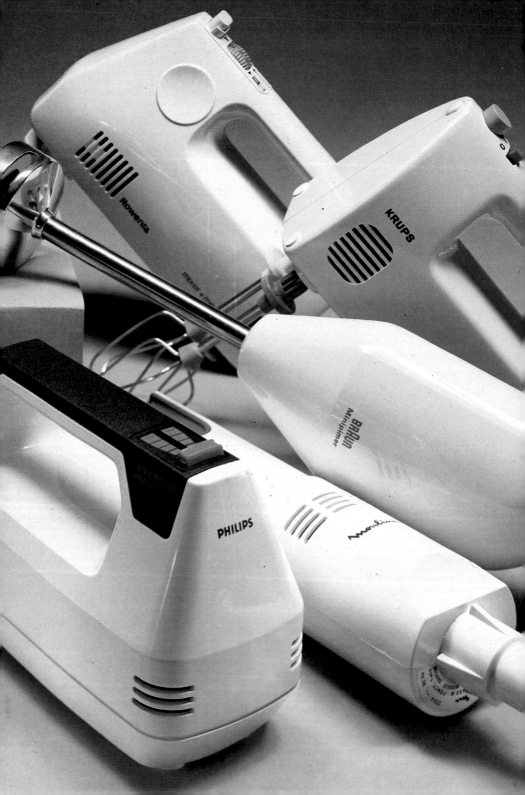

LES BATTEURS-MIXEURS

A l'origine c'est le fouet de nos grands-mères auquel on a mis un petit moteur électrique et ajouté des accessoires.

Ces appareils tiennent peu de place et se rangent facilement, en s'accrochant par exemple à un support mural. Leur prix est modique et ils consomment peu d'électricité. Certains ont plusieurs vitesses de rotation.

Ils sont assez légers, donc très maniables. Vous les tenez tout simplement à la main au-dessus du récipient de préparation ou de cuisson dans lequel plonge l'accessoire rotatif spécialement adapté pour battre, monter en neige, mélanger, émulsionner. Très pratique pour les potages, purées, sauces et aliments de bébé.

Tout un choix d'accessoires permet d'accroître le nombre des services rendus :

Les fouets sont de deux sortes : à fils, pour mélanger doucement les sauces ou battre en les aérant blancs d'œufs ou chantilly ; à spirale ou en crochet pour pétrir les pâtes patissières ou malaxer le beurre en pommade.

Les couteaux rotatifs, avec le pied-mixeur, permettent de velouter les potages et de préparer les bouillies.

D'autres accessoires peuvent transformer le batteur-mixeur en râpe-légumes. presse-purée, éplucheuse, mini-hachoir, et même ouvre-boîtes.

Ce signe ◯ indique les recettes qui peuvent être réalisées avec ce type d'appareil.

LES ROBOTS COMPACTS

Un robot compact, c'est un bloc-moteur carrossé, muni d'un bol dans lequel tourne, à la vitesse voulue, l'accessoire adapté au travail à accomplir : couteau hélicoïdal à 2 lames pour hacher, battre et mélanger, disque-éminceur, disque-râpe (râpe fine, moyenne ou grosse) coupe-frites, etc.

C'est un appareil très pratique que vous pouvez sans problème garder constamment à portée de la main, sur une étagère de rangement, ou mieux encore sur le plan de travail, toujours prêt à servir. Un petit coin de tiroir suffit pour y ranger les divers accessoires.

Vous vous en servirez tous les jours, peut-être même pour tous les repas : pour préparer les crudités, velouter les potages, hacher la viande, le poisson, les fines herbes, émulsionner les sauces, mélanger les farces, couper les légumes, pétrir les pâtes, battre les blancs en neige, etc.

La viande rouge crue est hachée sans être écrasée ; ainsi le sang ne s'échappe pas.

En général, ces appareils sont assez puissants pour râper ou broyer des aliments durs tels que le chocolat à cuire, le parmesan ou les fruits secs : amandes, noisettes, noix, etc. Certains vont même jusqu'à concasser les glaçons, pour la présentation des huitres et fruits de mer par exemple.

Plusieurs modèles peuvent recevoir divers accessoires supplémentaires, notamment un presse-agrumes ou une centrifugeuse pour les jus de fruits et de légumes, bol mixeur spécial pour boissons aux fruits, cocktails, milk shakes, etc.

Ce signe △ indique les recettes réalisables avec ce type d'appareil.

LES MULTI-ROBOTS

Si nous avons choisi le terme « multi-robot », c'est afin de souligner que cet appareil se compose en réalité de plusieurs appareils différents fonctionnant sur un même bloc-moteur de forte puissance à vitesse variable.

Certes, les autres types de robots remplissent également des fonctions multiples, mais uniquement par le changement d'un outil ou d'un petit accessoire. Dans un multi-robot, au contraire, chaque élément est un véritable appareil distinct, spécialisé dans un certain genre de travail, et qui peut lui-même être équipé d'outils et accessoires interchangeables pour effectuer des tâches bien précises avec le maximum d'efficacité et de soin : pétrisseur-batteur, malaxeur de grande taille avec fouets, crochets et bol-pétrin, capable de pétrir toutes les pâtes (mêmes lourdes, comme la pâte à pain) ; coupe-légumes avec un choix de disques éminceurs, de râpes de divers calibres, coupe-frites ; bol-mixeur de forte contenance...

Suivant les marques, le hachoir à viande sera soit à couteaux (il sert alors aussi bien pour la viande et le poisson que pous les légumes, fruits, etc.), soit à vis, spécialisé pour la viande mais à gros débit, avec plusieurs types de grilles.

Pour les jus de fruits et de légumes, les multi-robots comportent la plupart du temps un presse-agrumes ou une centrifugeuse, parfois les deux.

D'autres appareils et accessoires peuvent être ajoutés afin d'effectuer d'autres opérations : passoire et tamis, moulin à café et céréales, appareil à nouilles fraîches, bourre-saucisses, broyeur de glace, et même bain-marie pour les préparations à chaud.

Pour sa forte productivité et la qualité du travail accompli, le multi-robot est l'appareil idéal pour les mères de famille nombreuse, les maîtresses de maison qui reçoivent beaucoup, les fins cordons-bleus qui font une cuisine très variée et assez élaborée... et qui disposent d'une place suffisante.

Ce signe □ indique les recettes réalisables avec ce type d'appareil.

QUELQUES CONSEILS

Préférez la puissance. Si vous envisagez d'acheter un nouveau robot, choisissez-le suffisamment puissant : il sera plus efficace, travaillera moins longtemps et plus silencieusement (les grosses voitures font moins de bruit que les petites !). La puissance est indiquée par le nombre de watts (W).

Familiarisez-vous. Votre robot vous facilite la vie, mais en même temps il change un peu vos habitudes. Pendant un certain temps, vous devrez donc faire mieux connaissance avec lui, vous habituer l'un à l'autre afin de l'avoir « bien en main » (comme une voiture). Les recettes de ce livre vous y aideront, en vous faisant découvrir l'une après l'autre les multiples possibilités de votre « préparateur culinaire ».

Prêt ? Partez ! Gardez toujours votre robot à portée de la main. Si c'est un compact ou un multi-robot (voir p. 11 et 13) placez-le pour travailler sur une surface propre et sèche, afin qu'aucune miette, farine, eau, etc., ne puisse être aspirées par les orifices d'aération au-dessous du bloc-moteur.

Assurez-vous que tous les accessoires nécessaires pour la recette sont à proximité, prêts à servir.

Avant de brancher la prise, vérifiez que le bouton de mise en marche est bien à l'arrêt.

Pas de trop-plein ! Ne remplissez jamais complètement le bol de votre mixer. Restez plutôt au-dessous des niveaux maximum indiqués. Pour les grandes quantités, il vaut mieux procéder en 2 ou 3 chargements : cela va tellement vite.

A petits coups. Le plus souvent, il est préférable de mixer par légères impulsions, afin de mieux contrôler l'avancement du travail. Rappelez-vous : votre robot agit très vite, et plus vous mixez longtemps plus vous changez la texture et l'aspect des aliments.

Ramenez au centre du bol, à l'aide d'une spatule en caoutchouc ou en plastique, les aliments projetés sur les parois, afin d'obtenir un mélange bien homogène.

Coupez ! et ne vous coupez pas. Avant de changer un accessoire ou un outil quelconque, arrêtez le moteur et **débranchez la prise :** autrement, vous risqueriez de le remettre en marche par inadvertance. Et souvenez-vous que les couteaux sont **très coupants**, même au repos : évitez d'y toucher et, pour les laver, maniez-les avec précaution.

Utilisation et entretien : conformez-vous à la notice d'emploi qui vous a été remise avec votre appareil. Si vous l'avez égarée, demandez-en une nouvelle au fabricant en précisant bien quel modèle vous avez : il se fera un plaisir de vous rendre ce petit service.

Les recettes contenues dans ce livre ne sont pas celles d'un livre de cuisine classique : elles ont été conçues ou adaptées pour les robots. Bien sûr, suivant le modèle que vous possédez et aussi selon vos goûts personnels, vous aurez peut-être à les modifier légèrement, notamment en ce qui concerne les temps de fonctionnement et les temps de cuisson, qui ne sont donnés qu'à titre indicatif.

Moyennant quoi vous pouvez suivre ces recettes à la lettre en toute confiance : elles ont été testées, vérifiées... et goûtées.

Mais vous pourrez aussi, une fois que vous aurez parfaitement maîtrisé l'utilisation de votre robot , considérer chaque recette comme un point de départ pour votre imagination, l'idée de base à partir de laquelle toutes les fantaisies sont possibles.

C'est alors que vous découvrirez vraiment que votre robot a plus d'un tour dans son bol !

LES ENTRÉES

Un robot compact ou un multi-robot permet de réaliser facilement et en peu de temps des terrines de gibier ou de poisson, des pâtés raffinés dont l'élaboration est réputée longue et délicate.

Les recettes proposées demandent rarement plus d'une heure et, le plus souvent, de 20 à 30 mn. Elles rivalisent aisément par la saveur et la présentation avec les pâtés traiteurs.

ACRAS

Bon marché
Préparation : 15 mn
Cuisson : 10 mn

POUR 4 PERSONNES :

- **250 g de morue**
- **250 g de farine**
- **1 dl mélange**
eau + lait
- **1 œuf**
- **2 oignons**
- **4 gousses d'ail**
- **persil**
- **piment fort**
- **sel, poivre**
- **huile de friture**

Faites dessaler la morue vingt-quatre heures dans de l'eau froide, en changeant l'eau de temps en temps.

Otez la peau et les arêtes de la morue.

Épluchez l'ail et les oignons.

Dans le bocal du mixer, mélangez la morue effeuillée, l'ail, les oignons, le piment fort, le persil lavé et équeuté. Mixez grossièrement.

Ajoutez dans le bocal du mixer, la farine, le mélange eau et lait, l'œuf. Mixez pour obtenir une pâte onctueuse. Assaisonnez.

Faites chauffer l'huile et versez la pâte cuillère par cuillère dans l'huile chaude. Laissez dorer 10 mn environ.

Conseil :
Les acras se mangent chauds ou froids.

Variantes :
Les acras se font principalement à la morue, mais aussi aux choux, aux crevettes...

Cette recette peut aussi se faire avec une pâte feuilletée (250 g) farcie de morue (250 g) mélangée avec des œufs (2), de la crème fraîche (2 dl), sel, poivre, piment, persil. Ne pas oublier de badigeonner ces pâtés avec un œuf battu en omelette pour obtenir une cuisson bien dorée. Les pâtés doivent cuire vingt minutes à four moyen.

CHARLOTTE AU JAMBON

△

Raisonnable
Préparation : 15 mn
Cuisson : 30 mn

POUR 8 PERSONNES :

■ 600 g de jambon
(ou chutes de jambon)
■ 6 œufs
■ 6 bonnes cuill.
de crème fraîche
■ une petite boîte de
concentré de tomates
■ 1/2 l de lait,
■ 50 g de beurre
■ 30 g de farine
■ une cuill. à café
de paprika
■ une pointe de muscade
râpée

Hachez très fin le jambon, soit au mixer, soit au hachoir grille fine.

Faites une béchamel légère avec le beurre, la farine et le lait versé froid et d'un seul coup dans le mélange beurre farine devenu mousseux, sur feu moyen. Salez modérément. Laissez cuire doucement en remuant de temps en temps. Goûtez pour vérifier l'assaisonnement. Vous pouvez faire la béchamel au mixer (recette p. 207).

Pendant la cuisson de la béchamel, battez par impulsions les œufs en omelette, ajoutez-y la crème fraîche, le paprika, un peu de sel et enfin le jambon haché.

Quand la béchamel est cuite, laissez-la refroidir avant d'incorporer le concentré de tomates et le mélange œufs, crème et jambon en mélangeant soigneusement.

Versez le tout dans un moule à charlotte bien beurré et faites cuire au four préchauffé à 7 et au bain-marie pendant 1/2 heure.

A la fin de la cuisson, laissez refroidir avant de démouler.

Servez en nappant le pain de jambon d'un coulis de tomates fraîches (voir recette p. 208).

CRUDITÉS D'ÉTÉ

Préparation : 20 mn
Froid : 1 h

POUR 6/8 PERSONNES :

- 2 ou 3 concombres
- 4 à 6 tomates
- une botte de radis
- 2 ou 3 poivrons

Sauce :

- huile, vinaigre
- sel, poivre,
persil haché
- 1 bol de mayonnaise
(recette p. 211)

Pour la salade de
carottes marocaine :

- 500 g de carottes
- 2 oranges
- 1 cuill. à soupe
de fleur d'oranger
- 1 pincée de sel
- 1 cuill. à soupe
de sucre en poudre
- 1 citron

Pelez les concombres. Détaillez-les en rondelles au coupe et râpe-légumes, ainsi que les radis lavés et équeutés.

Lavez les poivrons. Séchez-les. Coupez-les en deux pour enlever les pépins et la queue. Découpez-les en lamelles avec le coupe et râpe-légumes.

Coupez les tomates en quartiers.

Salez tous les légumes, arrosez de vinaigrette et mettez-les au froid pendant une heure.

Préparez la salade de carottes marocaine :
Épluchez les carottes. Lavez-les. Égouttez-les et râpez-les finement au coupe et râpe-légumes.

Préparez la sauce avec le sel, l'eau de fleur d'oranger, le sucre et le jus de citron.

Pelez les oranges. Coupez-les en tranches épluchées à vif.

Versez la sauce sur les carottes. Mélangez bien. Rajoutez les oranges.

Variante :
Remplacez les carottes par de la romaine coupée en lanières très fines et ajoutez un petit peu d'huile.

Au moment de servir, présentez toutes ces crudités dans des raviers séparés. Vous pouvez ajouter des œufs durs coupés en quartiers et saupoudrez, sauf la salade de carottes, de persil haché et d'olives noires.

CRUDITÉS D'HIVER

△ □

Raisonnable
Préparation : 15 mn
Pas de cuisson

POUR 6 PERSONNES :

- **1 cœur de chou rouge**
- **1 céleri-rave**
- **2 boules de betterave cuite**
- **400 g de gros champignons**
- **jus de citron**
- **vinaigrette à la moutarde**
- **mayonnaise**
- **sel, poivre**

Coupez le chou rouge en morceaux. Passez-les au coupe et râpe-légumes.

Émincez les betteraves cuites et les champignons.

Épluchez le céleri rave et râpez-le au râpe-légumes, arrosez le tout de suite de jus de citron. Préparez une vinaigrette très relevée pour assaisonner le chou rouge et les betteraves. Mettez au frais.

Préparez une mayonnaise (recette p. 211) pour le céleri et les champignons.

Mettez au froid toutes les crudités préparées pendant une heure au moins avant de servir.

Conseil :
Vous pouvez varier à l'infini vos plateaux de crudités, selon la saison et votre fantaisie. Par exemple, après avoir râpé le céleri-rave, ajoutez lui une boîte de miettes de thon au na - turel et assaisonnez ensuite avec la mayonnaise.

FEUILLES DE VIGNE FARCIES

△ □

Raisonnable
Préparation : 15 mn/20 mn
cuisson : 40 mn

POUR 5/6 PERSONNES :

- 2 douzaines de feuilles de vigne
- 50 g de riz
- 2 oignons moyens
- 200 g de restes de viande cuite
- 80 g de beurre
- 50 g de mie de pain
- 1 œuf
- 1 citron
- muscade
- sel, poivre

Faites blanchir 3 à 4 minutes les feuilles de vigne. Égouttez-les.

Épluchez les oignons, émincez-les et faites-les revenir dans le beurre, sans les laisser brunir ; au besoin ajoutez un peu d'eau.

Faites cuire le riz.

Hachez ensemble au mixer la viande, les oignons, le riz, la mie de pain trempée et égouttée et un œuf entier.

Placez sur chaque feuille une cuillère de farce assaisonnée.

Faites des petits paquets.

Mettez dans une cocotte le reste de beurre, 1/2 l d'eau bouillante.

Placez-y les paquets les uns à côtés des autres. Couvrez. Faites cuire à feu très doux pendant une quarantaine de minutes. Après cuisson, arrosez de jus de citron.

Conseils :
Les feuilles de vigne farcies se servent froides en apéritif, ou chaudes accompagnées d'un roux.

Dans le commerce, on trouve des feuilles de vigne prêtes à être farcies. Il n'est alors pas besoin de les blanchir et de les cuire. La farce est simplement cuite à part.

FLAN AU ROQUEFORT

○ △ □

Raisonnable
Préparation : flan 10 mn
                    sauce 10 mn
Cuisson : flan 40 mn th. 7

POUR 6 PERSONNES :

- 3/4 de l de lait
- 7 œufs
- 150 g de Roquefort
- 30 g de farine
- 20 g de beurre
- sel, poivre

Faites bouillir le lait. Dans votre mixer, mélangez le Roquefort avec la farine; incorporez, un par un, les œufs entiers.

Versez le lait tiédi, peu à peu, et mixez jusqu'à obtenir une crème onctueuse. Salez et poivrez au moulin.

Beurrez un moule à flan, remplissez-le de la préparation et faites-la cuire au four, thermostat 6 à 7, pendant 35 à 40 minutes en posant le moule dans un bain-marie à faible niveau d'eau (la lèche-frites du four ou un plat à gratin).

Vérifiez la cuisson en plongeant dans le flan une lame de couteau qui doit ressortir propre.

Démoulez le flan sur un plat et nappez-le de coulis de tomates (recette p. 208), ou de béchamel faite avec 70 g de farine, 70 g de beurre, 100 g de Roquefort et 1/2 litre de lait (sel et poivre).

Conseil :
Ne versez jamais de liquide bouillant dans le bol de votre mixer. Prenez le temps nécessaire pour qu'il refroidisse.

FOIES HACHÉS

△ □

Raisonnable
Préparation : 10 mn
Cuisson : 10 mn

POUR 4 PERSONNES :

- 250 g de foies de volailles
- 2 oignons
- 3 œufs
- 2 cuill. à soupe d'huile
- 100 g de beurre
- sel, poivre

Faites durcir les œufs.

Nettoyez les foies. Faites-les revenir avec le beurre dans une poêle, à feu moyen, en remuant sans cesse pendant 10 mn.

Épluchez et émincez les oignons. A mi-cuisson, ajoutez-les aux foies.

Retirez du feu et mixez le tout grossièrement en ajoutant les œufs épluchés et l'huile petit à petit. Salez et poivrez.

Servez en entrée sur des toasts grillés.

HARENGS HACHÉS

△ □

Raisonnable
Préparation : 10 mn
Pas de cuisson

POUR 4 PERSONNES :

- 4 harengs en saumure (ou frais marinés dans du gros sel pendant 3 à 4 jours)
- 1 citron
- 2 cuill. à soupe d'huile
- 1 tranche de pain
- vinaigre
- poivre

Rincez les harengs en enlevant la peau et les arêtes.

Faites tremper le pain dans du vinaigre et pressez-le ensuite.

Épluchez et émincez l'oignon.

Mixez grossièrement les harengs, l'oignon et le pain en ajoutant l'huile petit à petit. Poivrez.

Servez en entrée sur du pain de seigle, saupoudré de cumin.

ŒUFS ET OIGNONS HACHÉS

△ □

Raisonnable
Préparation : 10 mn
Pas de cuisson

POUR 4 PERSONNES :

- 4 œufs
- 4 oignons
- 8 cuill. à soupe d'huile
- sel, poivre

Faites durcir les œufs.

Épluchez et émincez les oignons. Mixez-les grossièrement avec les œufs épluchés en ajoutant l'huile petit à petit.

Salez, poivrez.

Servez en entrée sur des tranches de pain de seigle.

Conseil :
Pour les entrées, il est difficile de définir les quantités. Tout dépend de l'appétit de vos convives et des plats de résistance qui suivent.

GALANTINE DE LAPIN

△ ☐

Cher
Préparation : 1 h 15 mn
Cuisson : 3 h

POUR 8 PERSONNES :

- **1 lapin de 1 kg 500**
- **4 foies de volaille**
- **2 tasses de mie de pain trempée dans du lait**
- **2 cuill. à soupe de cognac**
- **3 oignons**
- **3 échalotes**
- **ciboulette, persil**
- **1 œuf**
- **2 pieds de veau**
- **3 oignons**
- **1 bouquet garni**
- **6 clous de girofle**
- **sel, poivre, cayenne, muscade**

Désossez le lapin en le gardant entier. Épluchez échalotes et oignons.

Hachez les échalotes, les oignons, les abats du lapin et les foies de volaille avec la mie de pain trempée dans du lait et pressée.

Salez, poivrez. Ajoutez une pincée de cayenne et de noix de muscade râpée. Ajoutez le cognac.

Étendez le lapin à plat et répartissez la farce à l'intérieur. Moulez-le en commençant par le cou et enfermez-le dans une mousseline ficelée aux deux bouts.

Mettez à cuire les pieds de veau, la carcasse du lapin, les oignons piqués de clous de girofle, le bouquet garni, sel, poivre, dans deux litres d'eau. Faites cuire deux heures.

Posez le lapin dans une cocotte. Recouvrez-le de bouillon. Maintenez un petit bouillon. Laissez cuire une heure.

Faites refroidir dans le bouillon en enfonçant le lapin sous une planchette avec un poids.

Le lendemain, enlevez la mousseline. Servez avec la gelée.

GOUGÈRE

△ □

Bon marché
Préparation : 10 mn
Cuisson : 40 mn

POUR 6 PERSONNES :

- 150 g de farine
- 75 g de beurre
- 1/4 de l d'eau
- 4 œufs
- 200 g de gruyère
dont 150 g émincé
- 1 pincée de sel

Préparez au mixer la pâte à choux (recette de base p. 260) à laquelle vous ajouterez 150 g de gruyère préalablement émincé avec votre disque éminceur.

Mixez pour mélanger intimement le gruyère à la pâte à choux. Sur une tôle beurrée et légèrement farinée, formez une couronne, en déposant côte à côte, des grosses cuillerées de pâte.

Découpez le gruyère restant en autant de morceaux que vous aurez fait de choux. Déposez un morceau sur chacun d'eux.

Faites cuire à four chaud (th. 7/8) pendant 15 mn puis à four moyen (th. 5/6) pendant 25 mn environ. Ouvrez la porte du four, 4 à 5 mn, avant de servir.

HAMOUS

△ □

Bon marché
Préparation : 5 mn
Pas de cuisson

POUR 4 PERSONNES :

- **1 boîte de 1 kg de pois chiches au naturel**
- **3 gousses d'ail**
- **1/2 citron**
- **1 verre d'huile de sésame**
- **1 bouquet de coriandre frais**

Egouttez les pois chiches.

Pelez l'ail. Lavez le coriandre et enlevez les queues. Pressez le jus de citron.

Passez le tout au mixer en ajoutant l'huile petit à petit pour monter le mélange comme une mayonnaise.

Le hamous se tartine sur des toasts, des canapés de pain de campagne comme la tapenade.

TAPENADE

△ □

Bon marché
Préparation : 2 mn
Pas de cuisson

POUR 4 PERSONNES :

- **200 g d'olives noires dénoyautées**
- **100 g de filets d'anchois**
- **1 cuill. à soupe de moutarde forte**
- **3 cuill. à soupe de câpres**
- **2 verres d'huile d'olive**
- **poivre**
- **1 cuill. à soupe de jus de citron**

Passez au mixer les olives, les anchois, les câpres, la moutarde. Ajoutez le poivre et le jus de citron, puis l'huile peu à peu, sans cesser de mixer. Poivrez.

Conseil :
La tapenade se tartine sur des tranches de pain bis légèrement grillées. Elle se conserve parfaitement dans un pot à couvercle quelques jours au réfrigérateur.

MOUSSE DE FOIES DE VOLAILLES

○△□

Raisonnable
Préparation : 10 mn
Cuisson : 30 mn

POUR 4 PERSONNES :

- 350 g de foies de
volaille
- 25 cl de crème fraîche
- 3 œufs
- beurre
- 1/2 cuill. à café
de muscade râpée
- sel, poivre

Séparez les jaunes des blancs d'œufs. Montez dans le mixer ou avec les fouets les blancs en neige et versez dans un saladier.

Nettoyez les foies de volaille. Mixez, jusqu'à ce que le mélange soit onctueux, les foies, les jaunes d'œufs, sel, poivre et muscade. Versez petit à petit la crème fraîche en continuant de mixer.

Ajoutez cette purée aux blancs d'œufs en neige. Mélangez délicatement.

Versez la préparation dans des petits ramequins beurrés.

Faites cuire au bain-marie à four chaud (th. 7/8) 30 minutes.

Servez démoulé avec un coulis de tomates (recette p.208).

MOUSSE DE POISSON
AUX COQUILLES SAINT-JACQUES △ □

Cher
Préparation : 20 mn
Cuisson : 30 mn

POUR 4 PERSONNES :

- 500 g de chair de poisson blanc
- 8 coquilles St-Jacques avec le corail
- 4 blancs d'œufs
- 50 cl de crème fraîche
- 4 branches de persil
- noix de muscade
- sel, poivre

Lavez soigneusement puis séparez les noix et le corail des coquilles St-Jacques.

Coupez le poisson et les noix de coquilles St-Jacques en petits dés, le corail en fines lamelles que vous réservez.

Séparez les blancs des jaunes d'œufs.

Battez les blancs en neige très ferme.

Dans le bocal du mixer, versez le mélange poisson-coquilles et mixez. Ajoutez en cours de mixage, la crème fraîche et le persil lavé, sel et poivre, noix de muscade râpée.

Versez dans un saladier la fine mousseline obtenue et ajoutez délicatement les blancs d'œufs en neige.

Dans un moule beurré, versez la moitié de la préparation, intercalez les lamelles de corail et versez le reste de la mousseline.

Couvrez le moule d'un papier d'aluminium et faites cuire au bain-marie une demi-heure à four moyen (th. 5/6).

Conseils :
La mousseline de poisson se mange froide, avec une sauce un peu relevée, type mayonnaise, ou chaude avec un beurre blanc.

Quand les quantités sont trop importantes pour le bocal de votre mixer, procédez par étapes en effectuant plusieurs fois l'opération pour obtenir des mélanges parfaitement homogènes.

PATÉ DE CAMPAGNE △ □

Raisonnable
Préparation : 15 mn
Cuisson : 2 h 30 mn

Pour 1 **kg de pâté** :

- 500 g d'échine de porc
- 250 g d'épaule de veau
- 250 g de lard gras frais
- 2 oignons
- 1 bouquet de persil
- 2 œufs
- 2 cuill. à soupe
d'armagnac
- 1 crépine de porc
- 1 barde de lard
- sel, poivre

Mixez ensemble, grossièrement, l'échine, le veau, le lard gras, les oignons épluchés, le persil lavé et équeuté.

Ajoutez dans le mixer les œufs, le sel, le poivre, l'armagnac. Mixez quelques secondes.

Garnissez une terrine avec la crépine qui doit retomber sur les côtés. Tassez la farce à l'intérieur et fermez la crépine.

Coupez la barde en bandes, disposez-les sur le dessus de la terrine.

Fermez la terrine hermétiquement.

Posez dans un plat contenant de l'eau et laissez cuire deux heures trente (th. 7/8).

Faites refroidir après cuisson et servez frais.

Conseils :
Quand vous tapissez la terrine avec les bardes, laissez-les déborder et refermez les bardes quand le hachis est en place.

Pour avoir une terrine fermée hermétiquement, il est bon de souder le couvercle de la terrine avec une pâte faite de farine mélangée dans un peu d'eau.

PATÉ DE CANARD

△ □

Cher
Préparation : 20 mn
Cuisson : 2 h 30 mn

Pour une terrine de 750 g

- 1 canard
- 200 g d'échine de porc
- 300 g de veau
- 200 g de lard gras frais
- 2 œufs
- bardes de lard
- 100 g de pistaches
émondées
- sel, poivre

Retirez la peau du canard. Détachez toute la chair des os. Prélevez les filets découpés en escalopes, réservez-les.

Hachez ensemble au mixer l'échine, le veau, le lard gras sans la couenne, la peau du canard, la chair du canard, excepté les filets.

Mélangez au hachis les œufs. Salez et poivrez.

Tapissez une terrine avec les bardes. Versez une couche de hachis, une couche de filets de canard, la moitié des pistaches, une couche de farce, le reste des filets, le reste des pistaches en terminant par le hachis.

Rabattez les bardes. Fermez le couvercle de la terrine hermétiquement, avec une pâte faite de farine et d'eau.

Mettez au bain-marie à four chaud (th. 7/8) pendant deux heures et demie.

Laissez refroidir et mettez au réfrigérateur avant de servir.

PATÉ DE CANARD EN CROÛTE

Cher
Préparation : 1 h
Cuisson : 2 h

POUR 10 PERSONNES :

- 1 canette de 2 kg 500
- 250 g de lard de poitrine frais
- 100 g de moelle de bœuf
- 200 g de veau
- 2 petits verres de Cognac
- 100 g de champignons de Paris
- 1 oignon
- 1 échalote
- 1 carotte
- 1 sachet de gelée en poudre (facultatif)
- 500 g de farine
- 250 g de beurre
- 2 œufs
- 1 bouquet garni
- 1 barde de lard
- sel, poivre, muscade

Préparez la pâte à pâté. Travaillez ensemble la farine, le beurre, une pincée de sel et un demi verre d'eau. Remplissez un moule à cake avec les trois quarts de la pâte. Mettez au frais.

Désossez complètement la canette, et réservez la peau.

Faites un bouillon avec les abattis, 1 oignon, 1 carotte, le bouquet garni et 1 litre et demi d'eau. En fin de cuisson, ajoutez la gelée en poudre. Remuez et laissez la gelée en attente.

Nettoyez les champignons, ôtez le bout terreux des pieds.

Hachez ensemble le foie de la canette, le veau, le lard de poitrine, les champignons, les oignons, les échalotes.

Dans une sauteuse, faites revenir rapidement le hachis dans un peu de beurre. Hors du feu, ajoutez le cognac, les œufs, sel, poivre, muscade râpée. Mélangez bien. Ajoutez la moelle de bœuf. Trempez la lame d'un couteau dans de l'eau bouillante. Glissez-la dans les os autour de la moelle pour la détacher. Coupez en rondelles et faites cuire cinq minutes dans de l'eau frémissante.

Tapissez le fond du moule à cake et les côtés de barde fine, étalez la peau du canard au fond et remplissez avec le hachis. Étendez le reste de pâte sur le pâté en soudant les bords à l'œuf battu. Faites une cheminée et badigeonnez la pâte avec le reste d'œuf battu.

Faites cuire à four chaud (th. 7/8) pendant deux heures. Dès que le pâté est doré, baissez le feu. Faites refroidir et versez la gelée par la cheminée.

Conservez quelques jours au réfrigérateur avant de le consommer.

Variantes :
Ces pâtés peuvent se faire de diverses façons, comme ci-dessus, avec 500 g de farine, 6 œufs et sans beurre. Mais on peut aussi enrober le pâté d'une pâte à brioche avec 500 g de farine, 20 g de levure de boulanger, 6 œufs, 250 g de beurre (recette p. 270). Les recettes sont toutefois plus délicates à réussir.

PATÉ DE MARCASSIN

△ □

Cher
Préparation : 1 h
Marinade : 48 h
Cuisson : 2 h 30 mn

Pour 2 terrines d'1 kg chaque

- 1 épaule de marcassin désossé de 1 kg 500
- 600 g de gorge de porc
- 150 g de lard fumé
- 1 œuf
- 1 dl de lait
- 2 échalotes
- 2 dl de vin blanc
- 50 g de fécule de pomme de terre
- 50 g de beurre

Marinade :

- 2 dl de cognac
- muscade râpée
- 2 carottes
- 2 feuilles de laurier
- 2 branches de thym
- 2 branches de persil
- 2 oignons
- sel, poivre

Prélevez 1 kg sur le morceau d'épaule pour le couper en lanières.

Mettez la viande en lanières dans la moitié de la marinade.

Dans l'autre moitié de la marinade, mettez le reste de l'épaule et le porc, coupés en dés.

Laissez mariner pendant 48 heures au frais.

Hachez grossièrement la viande coupée en dés. Ajoutez l'œuf entier et la fécule délayée dans le lait. Mélangez bien.

Épluchez et hachez finement les échalotes. Faites-les cuire dans le vin blanc jusqu'à réduction complète. Laissez refroidir.

Faites blanchir le lard coupé en dés 5 mn à l'eau bouillante. Égouttez-le. Faites-le sauter dans une poêle.

Dans une poêle avec un peu de beurre, faites revenir la viande de marcassin en lanières. Laissez refroidir.

Ajoutez au hachis, les échalotes, les lardons, la viande en lanières. Assaisonnez.

Bardez les terrines. Versez le mélange. Faites cuire au bain-marie à four moyen (th. 5/6) sans couvercle pendant 20 mn, puis à four doux 3/4 avec couvercle pendant 2 heures.

Laissez refroidir et servez le lendemain.

QUENELLES DE POISSON

Raisonnable
Préparation : 20 mn
Cuisson : 10 mn

POUR 4 PERSONNES :

- 500 g de chair de poisson
(brochet de préférence)
- 200 g de beurre
- 200 g de mie
de pain rassis
- 1 verre 1/2 lait
- 4 œufs entiers
- sel, poivre

Sauce :

- 2 dl de vin blanc sec
- 1 dl de bouillon
de volaille
- 1 gros oignon
- 100 g de crème fraîche
- 150 g de crevettes
décortiquées
- bouquet garni

Trempez la mie de pain dans du lait chaud. Égouttez-la bien en la pressant dans les mains.

Débarrassez le poisson des grosses arêtes. Hachez-le très finement, soit au mixer, soit au hachoir (grille fine).

Dans le bol du mixer, mettez le hachis de poisson, le beurre mou, la mie de pain trempée et essorée. Mixez le temps nécessaire pour obtenir une pâte ferme et lisse.

Ajoutez alors un à un les œufs entiers, en mixant par impulsion entre chaque œuf. Salez et poivrez. Ajoutez une pointe de muscade. Goûtez pour rectifier l'assaisonnement. Laissez reposer quelques heures au frais.

Roulez la préparation en quenelles de la grosseur d'un doigt et de 8 à 10 cm de long. Pochez-les à l'eau bouillante de 3 à 5 minutes.

Nappez-les avec une **sauce crevette.**

Faites bouillir les parures du poisson avec 2 dl de vin blanc sec, le bouillon de volaille (concentré), sel, poivre, oignon, bouquet garni, pendant une heure. Le bouillon doit réduire de moitié.

Ajoutez alors le beurre en remuant sans arrêt, puis la crème, sans cesser de remuer. Terminez en ajoutant les crevettes. Laissez mijoter très doucement une dizaine de minutes. Si vous trouvez la sauce trop liquide, ajoutez, en même temps que les crevettes, une cuillère à café bombée de maïzena délayée préalablement dans de l'eau froide.

RILLETTES DE POULE

△ □

Raisonnable
Préparation : 30 mn
Cuisson : 5 h

Pour 2 terrines de 500 g
ou 6 petites

- 1 poule de 1 kg
- 500 g de lard demi-sel
- 300 g de lard maigre
- 1/2 l de vin blanc sec
- 1/2 l d'eau
- 75 g de graisse d'oie
- thym, laurier
- sel, poivre

Découpez la poule en 8 morceaux. Coupez tout le lard en gros dés en retirant la couenne.

Dans une cocotte mettez la poule, le lard, la couenne, le vin blanc, l'eau, le thym, le laurier, sel et poivre. Couvrez. Amenez à ébullition et laissez frémir pendant cinq heures.

1/2 heure avant la fin de la cuisson, ajoutez la graisse d'oie.

Dans le bocal du mixer, mettez les morceaux de poule après avoir retiré les os, le lard et la couenne. Ajoutez un peu de bouillon et mixez grossièrement.

Réservez un peu de la graisse du bouillon. Laissez tiédir. Remplissez la terrine. Recouvrez de graisse.

Mettez au réfrigérateur avant de consommer.

Conseil :
Les rillettes peuvent se faire dans une grande terrine ou dans plusieurs petites terrines. Non entamées, elles se conservent plus longtemps.

Variantes :
Selon cette recette, vous pouvez préparer des rillettes de canard , de dinde, de pintade, de lapin.

RILLETTES DE TOURS

△ □

Raisonnable
Préparation : 10 mn
Cuisson : 5 h

Pour une terrine de 1 kg

- 800 g d'échine de porc
- 200 g de panne de porc
- thym, laurier
- sel, poivre

Coupez l'échine en petits morceaux, cassez la panne en morceaux.

Mettez les morceaux de panne à cuire à feu très doux dans une cocotte avec 2 cm d'eau.

Lorsque le gras commence à fondre, ajoutez la viande, le thym, le laurier et laissez cuire à feu doux pendant cinq heures.

Laissez tiédir. Réservez un peu de gras. Retirez thym et laurier.

Hachez grossièrement au mixer la viande pour obtenir une purée. Salez. Poivrez.

Remettez sur le feu jusqu'à ce que la préparation soit bien dorée.

Remplissez une ou plusieurs terrines avec la préparation.

Recouvrez de graisse.

Mettez au réfrigérateur avant de consommer.

Variante :
Les rillettes du Mans se préparent avec 300 g d'échine de porc, 600 g de chair d'oie, 150 g de graisse d'oie.

SOUFFLÉ AU FROMAGE

○ △ □

Bon marché
Préparation : 15 mn
Cuisson : 45 mn

POUR 6 PERSONNES :

- 100 g de beurre
- 100 g de farine
- 1/2 l de lait
- 125 g de gruyère
- 5 œufs
- sel, poivre

Faites au mixer, une béchamel épaisse, avec le beurre, la farine et le lait, sel et poivre (recette p. 207).

Cassez les œufs, séparez les blancs. Ajoutez à la béchamel les jaunes d'œufs, mixez par impulsions pour obtenir un mélange homogène.

Versez le tout dans un moule à soufflé bien beurré. Montez les blancs en neige très ferme. Ajoutez-les, très délicatement, à la fourchette, dans le moule contenant « l'appareil » à soufflé.

Faites cuire à four chaud (th. 5/6) pendant 45 minutes en plaçant le moule au tiers inférieur du four.

TARAMA

Raisonnable
Préparation : 10 mn
Pas de cuisson

- 150 g de tarama
(œufs de poisson fumé)
- 150 g de mie de pain
- 150 g d'huile d'olive
- 1 oignon
- 1 jaune d'œuf
- 1 citron

Mouillez la mie de pain et essorez-la. Versez la mie et les œufs de poisson dans le bocal du mixer.

Épluchez l'oignon, coupez-le en morceaux et versez dans le bocal du mixer. Ajoutez le jaune d'œuf.

Commencez à mixer doucement en ajoutant l'huile et le jus de citron petit à petit, jusqu'à obtenir la consistance d'une mayonnaise.

Goûtez pour rectifier l'assaisonnement.

Conseil :
Le tarama se sert en entrée ou en apéritif sur du pain grillé, avec des olives noires à la grecque ou des radis.

TERRINE DE FAISAN

△ □

Cher
Préparation : 1 h 15 mn
Cuisson : 2 h

Pour 2 terrines de 1 kg

- 1 faisan de 1 kg 500
- 300 g de veau
- 200 g de lard
gras frais
- 300 g d'échine de porc
- 2 cuill. à soupe
de cognac
- 2 œufs
- sel, poivre
- 1 barde de lard

Faites plumer et vider le faisan par votre volailler. Retirez délicatement la peau afin de récupérer le maximum de chair. Prélevez le plus grand nombre possible d'escalopes. Ensuite enlevez le reste de chair des os avec un couteau pointu.

Hachez ensemble le veau, le lard gras, l'échine, la chair du faisan en réservant à part les escalopes.

Ajoutez aux viandes hachées le cognac, les œufs. Assaisonnez.

Garnissez une terrine avec la barde.

Disposez en couches alternées du hachis, des escalopes. Commencez et terminez par de la farce. Rabattez la barde.

Fermez hermétiquement la terrine. Posez dans un plat contenant de l'eau. Faites cuire à four doux pendant deux heures.

Laissez refroidir. Conservez au réfrigérateur.

TERRINE DE FOIES DE VOLAILLE

△ □

Préparatrion : 20 mn, la veille
Cuisson : 1 h 30 mn

Pour une terrine de 750 g

- 350 g .de foies
de volaille
- 250 g de lard gras
- 250 g d'échine de porc
- 1 verre à liqueur
d'armagnac
- 1 cuill. à soupe d'huile
- thym, laurier, muscade
- 1 barde de lard
- sel, poivre

Nettoyez les foies de volaille.

Coupez le lard et l'échine en gros dés. Dans une jatte, faites macérer toute une nuit le lard, les foies de volaille, l'armagnac, le thym, le laurier, la muscade, le poivre et l'huile.

Le lendemain, passez toutes les viandes, en mettant de côté quelques foies, au mixer, avec un œuf, en ajoutant petit à petit un peu du jus de la marinade pour obtenir un mélange onctueux. Salez et poivrez.

Coupez en petits dés les foies mis de côté.

Tapissez une terrine (fond et côtés) avec la barde. Tassez dedans la moitié du hachis, puis les foies coupés, terminez avec le reste du hachis.

Garnissez le dessus avec du laurier.

Fermez avec le couvercle hermétiquement.

Faites cuire à four moyen dans un plat rempli d'eau (5/6 au thermostat), pendant 1 h 30 environ. Vérifiez la cuisson avec la pointe d'un couteau qui doit ressortir sèche et tiède.

Conservez la terrine 1 ou 2 jours au réfrigérateur avant de la consommer.

Variante :
Mélangez 250 g de terrine de foies complètement refroidie et 250 g de foie gras au mixer. Ajoutez petit à petit 75 g de crème fraîche. Mettez dans des terrines individuelles. Servez glacé.

Conseil :
Évitez de mettre les cœurs avec les foies de volaille. En effet, ils sont souvent vendus avec. Utilisez les foies uniquement.

TERRINE DE LAPIN

△□

Raisonnable
Marinade : 24 h
Préparation : 1 h 15 mn
Cuisson : 30 mn par livre

Pour une terrine de 2 kg :

- 1 kg 500 de chair
de lapin désossé
- 300 g de lard
de poitrine frais
- 400 g d'échine
- 250 g de jambon cru
- 500 g d'oignons
- 3 gousses d'ail
- 1,5 dl de calvados
- 1 cuill. à soupe d'huile
- 1 crépine de porc ou
une barde de lard
- 1 œuf
- 3 cuill. à soupe
de crème fraîche
- thym, laurier
- 1 bouquet de persil
- sel, poivre

Coupez la chair du lapin désossé en dés, ainsi que le lard dont vous aurez ôté la couenne et le jambon. Mettez les viandes dans un saladier. Salez largement. Poivrez. Ajoutez le thym, le Calvados et l'huile. Remuez bien pour que les viandes s'imprègnent de la marinade. Laissez mariner pendant 24 heures.

Faites tremper la crépine de porc dans de l'eau fraîche.

Égouttez les viandes avant de les hacher avec la couenne du lard frais. Hachez grossièrement.

Épluchez les oignons. Lavez le persil et équeutez-le. Passez oignons et persil au mixer pour obtenir une purée fine.

Épluchez l'ail et hachez-le grossièrement.

Battez ensemble la crème, l'œuf et la marinade. Salez et poivrez.

Mélangez le hachis de viande, d'oignons et de persil, l'ail et l'œuf battu. Remuez le tout pour obtenir une chair à pâté fine et homogène. Versez dans la terrine.

Égouttez la crépine. Recouvrez la terrine sur laquelle vous aurez disposé le laurier avec la crépine repliée plusieurs fois. Glissez la crépine tout autour entre la chair et les bords de la terrine.

Couvrez la terrine ; mettez à four chaud (th. 7/8) dans un bain-marie d'eau bouillante.

Faites cuire en comptant 35 mn par livre.

Une fois cuite, laissez tiédir pendant 30 mn, puis pressez le pâté en posant sur le dessus une planchette avec un poids.

Laissez refroidir ainsi jusqu'au lendemain.

Attendez encore un jour pour consommer.

Conseils :
L'eau du bain-marie doit atteindre le tiers de la hauteur de la terrine.
Si vous ne consommez pas la terrine tout de suite versez à la surface une couche de saindoux fondu et conservez-la au frais.

TERRINE DE PERDREAUX

△ ▢

Cher
Préparation : 1 h
Cuisson : 2 h

Pour 2 terrines de 750 g :

- 2 perdreaux
- 1 dl de vin blanc
- 250 g d'échine de porc
- 250 g de noix de veau
- 2 œufs
- 1 barde de lard
- 2 échalotes
- 1 cuill. à soupe d'armagnac
- persil
- noix de muscade
- sel, poivre

Ouvrez les perdreaux, plumés et vidés, en deux. Prélevez les foies et les cœurs. Décollez la chair des os. Retirez la peau.

Passez les os grossièrement au mixer. Mettez-les avec la peau dans une casserole avec le vin à feu doux. Ajoutez un décilitre d'eau. Faites réduire, et laissez refroidir.

Hachez ensemble le porc, le veau, les échalotes pelées, un peu de persil lavé. Ajoutez sel, poivre, muscade râpée, les œufs, l'armagnac, puis le contenu de la casserole passé à travers un tamis.

Tapissez les terrines avec la barde que vous laissez dépasser. Étalez la moitié du hachis. Couvrez avec la chair des perdreaux. Mettez le reste de hachis. Repliez la barde.

Fermez les terrines. Faites cuire deux heures à feu doux (th. 4/5) au bain-marie.

Laissez refroidir et mettez au réfrigérateur avant de consommer.

TERRINE DE POISSON AUX HERBES △ ▢

Cher
Préparation : 10 mn
Cuisson : 40 mn

Pour une terrine de 500 g

- 500 g de filets
de poisson
(de préférence de
poissons différents)
- 500 g de beurre mou
- 8 œufs
- 5 dl de crème fraîche
- 1 bouquet d'estragon
- 1 bouquet de persil
- noix de muscade
- sel, poivre

Mixez rapidement les filets de poisson. Salez et poivrez. Ajoutez un peu de noix de muscade.

Versez la purée de poisson dans le bocal du mixer. Ajoutez, en mixant pour obtenir une pommade, le beurre, 5 œufs entiers et 3 jaunes d'œufs, finissez avec le persil et l'estragon lavés.

Fouettez légèrement la crème fraîche. Ajoutez-la au mélange.

Versez le tout dans une terrine beurrée.

Couvrez la terrine avec du papier aluminium. Posez-la dans un plat contenant de l'eau et faites cuire à four moyen (th. 5/6) pendant 40 minutes.

Laissez refroidir avant de servir.

Conseil :
Les terrines de poisson sont excellentes servies avec des coulis de légumes frais (recette p. 208) — des mousses d'oseille — de la crème fouettée à la fourchette avec sel, poivre et herbe aromatique.

Variante :
De la même façon vous pouvez faire une terrine de saumon (350 g de saumon frais) en laissant cuire durant une heure.

TERRINE DE POISSON
AU SAUMON FUMÉ

△ □

Cher
Cuisson : 1 h
Préparation
la veille : 30 mn

Pour une terrine de 750 g :

- **600 g de filets de merlan**
- **1 sole en filets**
- **1 tranche de saumon fumé (de la taille de la terrine)**
- **150 g de beurre**
- **1/4 de l de lait**
- **50 g de mie de pain**
- **2 œufs entiers**
- **+ 1 jaune**
- **400 g de crème fraîche**
- **muscade**
- **sel, poivre**

Sauce :

- **300 g de crème fraîche**
- **1 bouquet de persil**
- **cerfeuil, estragon**

Mettez la mie de pain à tremper dans le lait bouillant. Laissez absorber complètement.

Dans le mixer, hachez la chair des merlans avec le beurre, la panade, le jaune d'œuf et les œufs entiers.

Incorporez peu à peu la crème. Salez, poivrez, muscadez.

Faites revenir les filets de sole.

Beurrez un moule à cake. Tapissez le fond avec la tranche de saumon et remplissez en alternant une couche de farce, et les filets de sole. Terminez par de la farce et tassez bien.

Faites cuire à four moyen (th. 6) une heure au bain-marie.

Laissez refroidir dans le moule une nuit au réfrigérateur.

Au moment de servir, battez la crème en mousse. Ajoutez les herbes hachées, salez, poivrez.

Démoulez la terrine et décorez de crevettes et de persil, cerfeuil, estragon.

LES POTAGES ET LES PURÉES

Crèmes, veloutés, soupes de poissons ou de légumes, un robot est « orfèvre en la matière ». Le potage, inséparable du repas du soir où toute la famille se retrouve, peut être, grâce à lui une invention quotidienne. Et, de même, avec un robot tous les légumes en purée prennent un air de fête.

BISQUE DE LANGOUSTINES

○ △ □

Cher
Préparation : 15 mn
Cuisson : 30 mn

POUR 4 PERSONNES :

- 1 kg de langoustines
- 2 cuill. à soupe d'huile
- 1 cuill. à soupe
de mie de pain
- 1 oignon
- 1 carotte
- 1 bouquet garni
- 1/2 verre de vin blanc
- 2 tomates
- 1 cuill. à café de
concentré de tomates
- 1/4 de verre de cognac
- 2 cuill. à soupe
de crème fraîche
- sel, poivre
- 1 l 1/4 d'eau

Séparez les têtes des langoustines de leurs queues...

Épluchez oignon et carotte. Hachez-les grossièrement. Faites revenir les langoustines, l'oignon et la carotte hachés dans un peu d'huile. Arrosez avec la moitié du cognac. Faites flamber.

Ajouter mie de pain, tomates fraîches et concentré, 1 litre 1/4 d'eau, le vin blanc, le bouquet garni, sel, poivre. Laissez cuire cinq minutes. Retirez les queues de langoustines. Laissez cuire encore dix minutes supplémentaires. Retirez les têtes.

Décortiquez les queues de langoustines. Remettez alors la chair coupée en dés dans la bisque.

Laissez refroidir un peu la bisque et versez-la dans le bocal du mixer. Mixez pour que la chair soit pilée.

Reversez dans une casserole. Ajoutez le cognac qui reste et la crème fraîche. Réchauffez la bisque sans laisser bouillir.

Conseils :
— Ne jamais verser un liquide trop chaud dans le bocal du mixer, le laisser refroidir un peu avant de le transvaser.
— Pour éviter les débordements, procédez en plusieurs mixages, en ne remplissant jamais complètement le bocal du mixer.

CRÈME DE LENTILLES

○ △ □

Bon marché
Préparation : 10 mn
Cuisson : 2 h

POUR 4 PERSONNES

- 300 g de lentilles
- 1 carotte
- 2 oignons
- 1 gousse d'ail
- bouquet garni
- 50 g de beurre
- persil hâché
- 3 l d'eau
- sel, poivre

Épluchez et coupez en rondelles carotte et oignons.

Faites cuire les lentilles, la carotte, les oignons, l'ail et le bouquet garni dans 3 litres d'eau salée pendant deux heures.

Séparez ensuite les lentilles du bouillon avec une passoire. Passez les lentilles au mixer pour obtenir une purée fine.

Reversez les lentilles dans le bouillon. Ajoutez le beurre, le persil haché.

Conseils :
— Les légumes secs font d'excellentes soupes : haricots blancs, fèves, pois cassés et de plus on peut utiliser les restes pour faire des crèmes étonnantes avec un mixer.
— Des lardons grillés rajoutés aux lentilles avant le mixage donnent un excellent goût au potage.

CRÈME DE NAVETS AU LAIT

○ △ □

Bon marché
Préparation : 10 mn
Cuisson : 15 mn

POUR 4 PERSONNES :

- 50 g de beurre
- 1 douzaine de navets
- 1 l de lait bouillant
- 1 pointe de
muscade râpée
- 1 l d'eau

Dans une casserole, faites revenir dans le beurre les navets préalablement épluchés et émincés au coupe et râpe-légumes. Laisser refroidir et assaisonnez avant d'ajouter 1 litre d'eau chaude. Laisser cuire pendant 10 minutes.

Mettez alors les rondelles de navets dans le mixer et versez dessus un litre de lait chaud. Mixez en ajoutant à la fin du mixage une pointe de muscade râpée. Servez sur des tranches de pains grillées de préférence, ou sur des petites biscottes très craquantes.

CRÈME DE FENOUIL

○ △ □

Préparation : 15 mn
Cuisson : 20 mn

POUR 4 PERSONNES :

- 1 kg de fenouil
- 2 oignons
- 4 tomates
- 4 cuill. à soupe
d'huile d'olive
- 1 l de bouillon de bœuf
(concentré ou bouillon
de pot-au-feu)
- 2 cuill. à soupe de crème
- poivre

Mettez le fenouil à bouillir dix minutes dans de l'eau salée, réservez un bulbe.

Hachez le fenouil cuit. Émincez les oignons. Coupez les tomates en morceaux. Faites revenir les légumes dans l'huile d'olive pendant une dizaine de minutes.

Ajoutez le bouillon et faites cuire dix minutes.

Séparez les légumes du bouillon avec une passoire. Passez les légumes au mixer pour obtenir une purée très fine, ajoutez la crème fraîche à la fin du mixage.

Reversez les légumes dans le bouillon. Poivrez. Servez avec le bulbe de fenouil cru haché.

CRÈME A L'OSEILLE

○ △ □

Raisonnable
Préparation : 10 mn
Cuisson : 35 mn

POUR 4 PERSONNES :

- **500 g d'oseille**
- **50 g de beurre**
- **200 g de crème fraîche**
- **sel, poivre**
- **1 l d'eau**

Lavez l'oseille et supprimez les côtes. Coupez les feuilles en fines lanières.

Mettez le beurre dans une casserole avec l'oseille et laissez cuire très doucement trois ou quatre minutes.

Ajoutez 1 litre d'eau. Salez et poivrez. Couvrez et laissez mijoter une demi-heure.

Séparez l'oseille du bouillon avec une passoire. Mixez l'oseille en une purée très fine.

Reversez l'oseille dans le bouillon. Rajoutez la crème fraîche. Réchauffez sans faire cuire.

Conseil :
— Cette crème peut se faire en mixant l'oseille crue et en laissant cuire cinq minutes seulement.

— De nombreuses autres herbes sont délicieuses en crème, comme le cerfeuil, la chicorée, la laitue, les épinards, le cresson, les poireaux...

— Les mélanges sont tout aussi délectables : 200 g d'oseille, 200 g de laitue, 1 bouquet de cerfeuil.

GARBURE

△ ⌐

Cher
Préparation : 15 mn
Cuisson : 3 h

POUR 4 PERSONNES :

- 1 morceau de confit d'oie
- 500 g de jambon frais
- 1 couenne de lard
- 1 navet
- 4 pommes de terre
- 1 petit chou vert
- 500 g de haricots blancs frais
- 1 oignon
- 4 tranches de pain de campagne
- 1 bouquet garni
- 4 gousses d'ail
- 3 l d'eau
- sel, poivre

Épluchez les légumes ; émincez-les au râpe légumes. Écos sez les haricots.

Mettez dans une cocotte le jambon en morceaux, la couenne, l'ail, l'oignon, le bouquet garni, les légumes émin cés, les haricots. Ajoutez 3 litres d'eau froide salée.

Faites cuire pendant une heure.

Faites blanchir le chou quelques minutes à l'eau bouillante Ajoutez dans la cocotte le chou blanchi et le confit d'oie Faites cuire pendant deux heures. Assaisonnez.

Versez le potage dans une soupière dont vous aurez tapissé le fond avec le pain.

GASPACHO

Raisonnable
Préparation : 15 mn
Pas de cuisson

POUR 4 PERSONNES :

- **4 tomates**
- **1 concombre**
- **1 gousse d'ail**
- **1 citron**
- **2 poivrons**
- **2 oignons**
- **1/2 verre d'huile d'olive**
- **1/2 l d'eau froide**
- **6 tranches de pain de mie rassis**
- **persil**
- **sel, poivre**
- **glaçons**

Lavez les tomates, le concombre, les poivrons, le persil.

Retirez les graines du poivron, pelez le citron à vif, épluchez l'ail et les oignons. Retirez la croûte du pain de mie.

Mettez dans le bol du mixer la moitié des tomates, du concombre, des poivrons et l'ail, le citron, le pain et le persil Mixez pour obtenir une purée fine et ajoutez quelques gla çons en cours de mixage.

Versez la purée dans 1/2 litre d'eau très froide. Assaison nez. Hachez grossièrement dans le mixer le reste des to mates et les oignons, puis le reste du concombre, puis le se cond poivron.

Mélangez les légumes hachés au potage.

Mettez au réfrigérateur avant de servir.

HARIRA

○△□

Raisonnable
Préparation : 30 mn
Cuisson : 1 h 30

POUR 4 PERSONNES :

Bouillon

- 2 l d'eau
- 1/2 bol de pois chiches trempés la veille
- 125 g de viande (mouton ou bœuf) coupée en dés
- 1 cœur de céleri haché au mixer
- 1 bouquet de coriandre ou de cerfeuil haché au mixer
- 1/2 cuill. à café de cannelle
- 1 noix de beurre
- 1 oignon haché au mixer
- 1 bouquet de persil
- 2 oignons entiers
- 1/2 kilo de tomates
- 1/2 cuill. à café de safran
- 1 cuill. à café de poivre
- sel
- 3 ou 4 petits os charnus

Complément

- 500 g de tomates passées au mixer
- 1 bouquet de cerfeuil ou de coriandre
- le jus de 2 citrons
- 1 œuf
- 1/4 de verre de vermicelles
- 1/4 de verre de nouilles
- 100 g de farine
- sel

Cette soupe du Ramadan dans les pays du Maghreb est l'unique nourriture du soir (avec des gâteaux très sucrés) durant la période de jeûne. Elle se prépare en 2 temps : un bouillon de base, le complément du bouillon.

Le bouillon :
Hachez au mixer les tomates, le céleri, l'oignon, le persil.

Mettez tous les ingrédients à cuire à couvert dans une grande marmite.

Baissez le feu après ébullition. Laissez cuire doucement une heure environ jusqu'à ce que la viande soit cuite. Mais retirez les oignons dès qu'ils sont cuits.

Le complément :
Mettez les tomates dans une casserole. Ajoutez le bouillon passé au préalable à la passoire.

Laissez bouillir pendant 15 minutes.

Délayez la farine dans de l'eau et versez petit à petit hors du feu, dans le bouillon en remuant rapidement pour éviter les grumeaux. Remettez sur le feu et remuez doucement.

Attendez l'ébullition et ajoutez les pâtes. Laissez bouillir et mettez à feu doux.

Ajoutez le cerfeuil ou la coriandre hachée, le jus des 2 citrons et l'œuf battu. Vérifiez l'assaisonnement.

Laissez bouillir quelques minutes et servez saupoudré de cerfeuil ou persil haché.

MINESTRONE

△ ☐

Raisonnable
Préparation : 20 mn
Cuisson : 2 h 50

POUR 4 PERSONNES :

- 250 g de haricots blancs
- 200 g de lard fumé
- 3 pommes de terre
- 2 courgettes
- 3 carottes
- 2 navets
- 2 oignons
- 2 poireaux
- 2 branches de céleri
- 4 cuill. à soupe
d'huile d'olive
- 4 tomates
- basilic
- 2 l d'eau
- sel, poivre

Faites cuire les haricots et le lard coupé en morceaux dans 2 litres d'eau salée pendant deux heures.

Épluchez les pommes de terre, les carottes, les navets, les oignons, le chou. Émincez-les avec le coupe et râpe-légumes. Épluchez les tomates.

Faites revenir dans l'huile d'olive l'oignon, l'ail, les carottes, poireaux, navets et céleri pendant dix minutes.

Ajoutez les tomates et un bol d'eau chaude.

Salez, poivrez et faites cuire dix minutes.

Ajoutez les haricots cuits, le basilic haché, les pommes de terre émincées, le chou.

Faites cuire une demi-heure.

PANADE

○ △ □

Bon marché
Préparation : 5 mn
Cuisson : 45 mn

POUR 4/5 PERSONNES :

- 250 g de pain rassis
- 2 l d'eau
- 20 g de sel
- 1 dl de lait
ou de crème
- poivre

Mettez les morceaux de pain rassis dans l'eau froide salée.

Laissez bouillir à petit feu environ 3/4 d'heure.

Placez le pain et une partie du bouillon dans le bocal du mixer.

Mixez pendant 30 secondes.

Reversez dans le reste du bouillon. Ajoutez lait ou crème et poivre.

POTAGE GLACÉ AUX CONCOMBRES ○△□

Raisonnable
Préparation : 15 mn
Cuisson : 10 mn

POUR 4 A 6 PERSONNES :

- 1 kg 500 de concombres
- 1 petite poignée d'estragon
- 1 bon verre de crème fraîche
- 2 pincées de poivre blanc
- 1 pincée de paprika
- 1,5 l d'eau

POUR 4 PERSONNES :

- 2 concombres
- 4 yaourts nature
- 2 gousses d'ail
- 1/2 citron
- sel, poivre
- cumin ou paprika facultatif
- quelques raisins secs et quelques feuilles de menthe coupées fin

Épluchez les concombres et, à l'aide de l'appareil à faire les pommes noisettes, façonnez une vingtaine de boules que l'on fait cuire 10 mn à l'eau bouillante salée. Laissez-les égoutter au frais.

Faites cuire le reste des concombres à l'eau bouillante salée pendant 10 mn. Mixez-les pour obtenir un coulis liquide. A la fin du mixage, ajoutez l'estragon (feuilles et la moitié des tiges), la crème fraîche et le poivre blanc. Mettez à refroidir après avoir rectifié l'assaisonnement si nécessaire.

Variante : Recette iranienne, sans cuisson.

Épluchez les concombres, l'ail et le persil. Coupez les concombres en petits dés.

Ajoutez sel et poivre, ail et persil aux concombres. Mettez le tout dans le bol du mixer avec les yaourts. Mixez pour obtenir une purée fine. Ajoutez des glaçons en cours de mixage.

Mettez au réfrigérateur un moment avant de servir saupoudré de cumin, de paprika ou d'herbes aromatiques.

Conseil :
Le potage glacé à la tomate est délicieux aussi. Il se prépare avec : 1 kg de tomates, 2 oignons, 2 branches de céleri, ail, huile d'olive, menthe fraîche.

Si vous remplacez le persil par les fines herbes, pour les mixer, faites attention à ne pas trop en mettre, car le mixer à la propriété de développer l'arôme.

POTAGE AUX LÉGUMES CRUS D'ÉTÉ   ○ △ □

Bon marché
Préparation : 5 mn
Cuisson : 10 mn

POUR 4 PERSONNES :

- 3 tomates
- 1 courgette
- 1/2 concombre
- 1 branche de céleri
- 1 carotte
- persil
- 1 l d'eau tiède
- sel, poivre
- pour lier, 2 pommes de terre cuites à l'eau (facultatif)

Épluchez les légumes. Rincez-les. Essuyez-les et coupez-les grossièrement.

Mettez-le tout dans le bol du mixer jusqu'à hauteur raisonnable pour la taille de votre bol. Couvrez d'eau à hauteur des légumes. Mixez le tout.

Versez dans une casserole, ajoutez le reste d'eau. Assaisonnez et laissez frémir dix minutes.

Conseil :
Vous pouvez varier les légumes selon votre panier :
— 1 bol de petits pois, 2 pommes de terre, 2 feuilles de laitue, 2 poignées d'oseille, 2 poignées de cerfeuil.
— 1 carotte, 1 poireau, 1 tomate, 6 champignons de Paris, 2 pommes de terre.

POTAGE AUX LÉGUMES CUITS D'HIVER ○△□

Bon marché
Préparation : 10 mn
Cuisson : 45 mn

POUR 4 PERSONNES :

- 2 carottes
- 1 navet
- 1 tige de céleri
- 2 poireaux
- 1 oignon
- 1 tomate
- 2 pommes de terre
- 1 l 1/2 d'eau
- sel, poivre

Épluchez les légumes et faites-les cuire dans 1 litre et demi d'eau salée.

Égouttez les légumes et mettez-les dans votre mixer avec une louche de bouillon. Mixez en une purée fine.

Reversez dans la casserole contenant le reste du bouillon. Salez, poivrez. Rajoutez beurre ou crème fraîche. Réchauffez en remuant un peu.

Conseils :
Vous pouvez varier les légumes selon votre panier :
— 1 laitue, 4 pommes de terre, oseille et cerfeuil.
— 5 pommes de terre, épinards, échalotes, cerfeuil.

Pour rendre plus copieux les potages aux légumes et les transformer en plat principal, rajouter des pâtes à la cuisson ou servez avec des croûtons, des tartines de beurre...

POTAGE AU POISSON ET A L'OSEILLE ○ △ □

Raisonnable
Préparation : 15 mn
Cuisson : 55 mn

POUR 4 PERSONNES :

■ 1 grosse tranche
de merlu ou de tout
autre poisson avec
la tête si possible
■ 3 poireaux
■ 3 pommes de terre
■ 200 g d'oseille
■ 60 g de beurre
■ persil
■ 1 jaune d'œuf
■ 1 dl de crème fraîche
■ sel, poivre
■ 2 l d'eau

Lavez le poisson. Épluchez et émincez les poireaux. Épluchez et coupez les pommes de terre en quatre. Nettoyez l'oseille, le persil. Lavez tous les légumes et séchez-les.

Faites fondre 40 g de beurre dans une casserole et faites revenir dedans les poireaux à feu très doux en remuant sans cesse pour éviter qu'ils roussissent.

Faites bouillir 2 litres d'eau salée. Versez-la bouillante sur les poireaux fondus. Ajoutez les pommes de terre. Faites cuire 20 minutes.

Ajoutez le poisson, le persil et poivrez. Laissez cuire encore 30 minutes.

Faites fondre le reste du beurre dans une petite casserole, ajoutez l'oseille, couvrez et laissez fondre à feu très doux en remuant de temps en temps.

Lorsque la soupe est cuite, égouttez le poisson et enlevez l'arête centrale. Remettez le poisson dans le potage et passez le tout au mixer pour obtenir une purée veloutée.

Mettez à réchauffer à feu doux.

Mélangez l'oseille cuite, la crème fraîche, le jaune d'œuf et une louche de potage bouillant. Versez dans la soupe. Laissez cuire trois minutes à feu très doux en remuant sans cesse et en évitant l'ébullition.

Servez très chaud.

Conseil :
Les soupes de poissons se servent soit avec le poisson complètement mixé, soit avec des morceaux de poisson entier dans la soupe. La version complètement mixée supprime tout risque de trouver des arêtes, mais la saveur du poisson n'est plus tout-à-fait la même.

POTAGE PRINTANIER

○ △ □

Bon marché
Préparation : 30 mn
Cuisson : 45 mn

POUR 4/5 PERSONNES :

- **500 g de petits pois écossés**
- **60 g de poireaux**
- **3 laitues**
- **100 g de crème**
- **30 g de beurre**
- **1 jaune d'œuf**

Faites cuire les pois, les poireaux et les salades grossièrement coupés, dans 1 litre et demi d'eau salée, pendant 45 mn.

Passez au mixer pendant 30 secondes en une ou deux fois, en fonction de la taille du bol de votre mixer.

Dans la soupière, ajoutez le beurre et une liaison œuf/crème.

SOUPE DE CREVETTES

○△□

Raisonnable
Préparation : 10 mn
Cuisson : 20 mn

POUR 4 PERSONNES :

- 2 bols de crevettes grises crues
- 1 pincée de thym, laurier et clous de girofle
- 3 tomates
- 3 petits oignons cuits (conserve)
- 1 verre et demi de vin blanc sec
- 1 cuill. à soupe de farine de maïs
- 2 jaunes d'œufs
- sel, poivre, safran
- 2 cuill. de crème fraîche

Faites cuire pendant 5 minutes les crevettes dans de l'eau bouillante peu salée, additionnée du thym, du laurier et des clous de girofle.

Retirez les crevettes (gardez l'eau de cuisson) et mixez par impulsions le temps nécessaire pour obtenir une purée. Ajoutez alors les tomates et les petits oignons préalablement coupés en morceaux, et une louche de bouillon de cuisson.

Mettez le tout dans l'eau de cuisson des crevettes en ajoutant le vin blanc. Faites cuire à feu doux 15 minutes.

Mélangez dans le mixer, la farine de maïs ou de blé et les 2 jaunes d'œufs. Ajoutez cette liaison à la soupe.

Salez, poivrez. Au dernier moment, ajoutez une pincée de safran.

Servez en versant sur des croûtons frits au beurre, après avoir ajouté 2 cuillerées de crème fraîche.

SOUPE A L'OIGNON

△ □

Bon marché
Préparation : 15 mn
Cuisson : 30 mn

POUR 4 PERSONNES :

- 500 g d'oignons
- 50 g de beurre
- 1 cuill. à soupe
de farine
- 1 l 1/2 de bouillon
de bœuf
(concentré ou bouillon
de pot-au-feu
préparé à l'avance)
- 100 g de fromage râpé
- sel, poivre
- fines tranches de
pain grillé ou rassis

Pelez les oignons. Coupez-les en fines lamelles avec le coupe et râpe-légumes.

Faites chauffer la moitié du beurre dans une casserole. Versez les oignons et faites-les dorer doucement.

Râpez le gruyère avec le râpe-légumes.

Quand les oignons sont dorés, ajoutez la farine. Remuez bien jusqu'à ce qu'elle roussisse. Ajoutez le bouillon froid. Remuez toujours à feu doux jusqu'à ébullition. Salez et poivrez.

Couvrez et laissez cuire 20 minutes.

Dans un plat, ou dans des bols individuels allant au four, versez le potage, mettez une couche de gruyère et une couche de pain, une couche de gruyère et une couche de pain. Faites gratiner au gril 10 minutes.

Servez brûlant.

SOUPE AU PISTOU

○ △ □

Raisonnable
Préparation : 20 mn
Cuisson : 2 h

POUR 4 PERSONNES :

- 3 pommes de terre
- 3 tomates
- 250 g de haricots verts
- 250 g de haricots blancs frais
- 2 courgettes
- 3 carottes
- 100 g de macaronis
- 1 tête d'ail
- basilic
- 1/2 verre d'huile d'olive
- 200 g de parmesan râpé
- sel, poivre

Épluchez les légumes. Coupez les pommes de terre, les carottes, les tomates, les courgettes (avec la peau), les haricots verts en petits morceaux.

Faites cuire les haricots blancs dans 3 litres d'eau salée pendant 1 h 30.

Au mixer, préparez une pommade avec l'ail et le basilic en ajoutant petit à petit l'huile d'olive et la moitié du parmesan râpé pour réaliser le « pistou » provençal.

Versez dans le faitout contenant les haricots blancs, les légumes. Faites cuire 1/4 d'heure. Ajoutez les macaronis. Faites cuire encore 1/4 d'heure.

Ajoutez le « pistou » au moment de servir.

Poivrez. Présentez le reste de parmesan râpé à part.

Variante :
La cuisine italienne utilise une sauce appelée pesto, qui se réalise comme le pistou, en y ajoutant des pignons hachés (voir recette p. 209).

SOUPE DE POISSONS

○ △ □

Cher
Préparation : 15 mn
Cuisson : 20 mn

POUR 4 PERSONNES :

- 1 kg de poissons divers (grondins, rascasses, daurades)
- 2 oignons
- 2 gousses d'ail
- 3 tomates
- 2 tiges de fenouil séchées
- thym, laurier
- 1 verre d'huile d'olive
- 1 cuill. à café de safran
- sel, poivre
- croûtons grillés et aillés
- gruyère râpé
- rouille
- 2 l d'eau

Écaillez, videz les poissons. Coupez-les en morceaux. Gardez les têtes.

Épluchez les oignons, l'ail. Émincez les oignons. Hachez l'ail grossièrement.

Mettez dans une marmite les morceaux de poisson, les têtes, les oignons, l'ail et les tomates. Ajoutez le fenouil, le laurier, le thym. Assaisonnez et saupoudrez de safran. Mélangez avec l'huile d'olive.

Faites bouillir deux litres d'eau et versez-les sur les poissons et les légumes. Laissez cuire à feu vif pendant 20 minutes.

Quand la cuisson est terminée, passez le bouillon. Retirez les têtes, les arêtes, et mettez le poisson et les légumes dans le bol du. mixer. Ajoutez 1 ou 2 louches de bouillon tiède. Mixez en une purée fine.

Mélangez la purée avec le reste du bouillon. Faites réduire cinq à dix minutes.

Servez très chaud avec des croûtons grillés et aillés, du fromage râpé et de la rouille (recette page 212).

Conseil
Vous pouvez ajouter des moules ou d'autres coquillages à votre soupe. Faites-les cuire dans le bouillon du poisson, mais ne les passez pas au mixer pour les garder intacts.

TOURIN A LA TOMATE

○ △ □

Bon marché
Préparation : 15 mn
Cuisson : 20 mn

POUR 5/6 PERSONNES :

- 300 g de tomates
- 1 l et demi de bouillon (concentré)
- 3 gousses d'ail
- 30 g de farine
- 30 g de beurre
- sel, poivre
- 200 g de vermicelle

Coupez les gousses d'ail en lamelles. Les faire blondir dans une cocotte.

Ajoutez la farine et mouillez avec le bouillon.

Coupez les tomates pelées en 4. Mettez-les à cuire dans la préparation pendant 30 mn.

Passez le bouillon au mixer 30 secondes. Reversez-le dans la cocotte et lorsqu'il frémit, faites cuire le vermicelle pendant 3 minutes.

VELOUTÉ AUX CHAMPIGNONS

○ △ ⊏

Raisonnable
Préparation : 10 mn
Cuisson : 20 mn

POUR 4 PERSONNES :

■ 500 g de champignons
de Paris
■ 1 l de bouillon
de poule
■ 50 g de beurre
■ 2 dl de crème fraîche
■ 1 jaune d'œuf
■ 1 cuill. à soupe
de farine ou 1 tasse
de pain rassis
■ 1 cuill. à café
de persil haché
■ sel, poivre, muscade

Otez les bouts terreux des champignons et lavez-les soigneusement.

Préparez un litre de bouillon de poule avec une dose de concentré.

Dans une casserole, faites fondre le beurre. Ajoutez les champignons, laissez cuire cinq minutes.

Versez le bouillon sur les champignons. Salez, poivrez, muscadez. Couvrez et laissez cuire à feu doux un quart d'heure.

Séparez le bouillon des légumes avec une passoire. Réduisez les légumes au mixer en une purée très fine. Rajoutez un peu de liquide pour faciliter l'opération.

Reversez la purée dans le bouillon et mélangez bien.

Ajoutez la crème fraîche battue avec le jaune d'œuf avant de servir. Réchauffez sans laisser cuire.

Retirez du feu. Saupoudrez de persil haché.

Conseils :
Les veloutés et les crèmes peuvent se faire en mixant les légumes cuits ou en mixant les légumes crus. Le goût en est différent mais la recette est très rapide.

Ainsi, pour le velouté de champignons : mettez dans le bol du mixer les champignons crus, la farine, le beurre, l'œuf et la crème. Ajoutez le bouillon de poule. Mixez. Laissez cuire ensuite à feu doux pendant dix minutes en remuant sans cesse, sans laisser bouillir.

VELOUTÉ AU CHOU-FLEUR

○△□

Raisonnable
Préparation : 10 mn
Cuisson : 40 mn

POUR 4 PERSONNES :

- 500 g de chou-fleur
- 2 pommes de terre
- 1/2 l de lait
1 l 1/2 d'eau
- 2 jaunes d'œufs
- 2 cuill. à soupe
de crème fraîche
- sel, poivre

Faites blanchir le chou-fleur dix minutes à l'eau bouillante salée. Égouttez-le.

Épluchez les pommes de terre.

Dans une casserole, mettez le lait, 1 litre et demi d'eau salée, les pommes de terre.

Faites cuire 30 minutes.

Séparez les légumes du bouillon avec une passoire. Mélangez dans le bol du mixer les pommes de terre et le chou-fleur. Réduisez le mélange en une purée très fine.

Reversez les légumes dans le bouillon. Liez avec les jaunes d'œufs. Ajoutez le poivre, la crème fraîche. Réchauffez sans faire cuire avant de servir.

Conseils :
Pour les veloutés de légumes, vous pouvez utiliser pour obtenir le liant de la farine, de la fécule de pomme de terre, de la crème de riz, du pain rassis, du riz cuit ou des pommes de terre.

Pour les veloutés et en général la plupart des potages de légumes, on peut soit faire fondre légèrement les légumes dans un peu de beurre, soit les faire cuire directement dans le liquide.

Avec du lait, et de la même manière, se font aussi le velouté aux asperges fraîches, ou en conserve pour un repas rapide à improviser, le velouté de petits pois en boîte en rajoutant un peu d'estragon.

VELOUTÉ AUX COURGETTES

○ △ □

Raisonnable
Préparation : 10 mn
Cuisson : 15 mn

POUR 4 PERSONNES :

- 500 g de courgettes
- 1/2 l de bouillon
de poule (concentré)
- 1/4 l de lait
- 100 g de beurre
- 2 cuill. à soupe
de farine
- 2 cuill. à soupe
de crème fraîche
- sel, poivre,
muscade
- 1 cuill. à café
de coriandre hachée

Épluchez les courgettes. Coupez-les grossièrement.

Préparez un demi-litre de bouillon de poule avec une dose de concentré du commerce.

Faites cuire les courgettes dans de l'eau bouillante salée pendant dix minutes.

Égouttez-les et passez-les au mixer pour obtenir une purée.

Rajoutez un peu de liquide pour faciliter l'opération.

Faites fondre le beurre dans une casserole, ajoutez la farine, laissez cuire 2 à 3 minutes et versez le lait froid, laissez cuire quelques minutes en remuant de temps en temps.

Ajoutez les courgettes à la béchamel quand elle est cuite. Muscadez, poivrez et mélangez bien.

Versez le bouillon sur le mélange, couvrez et laissez cuire à feu doux pendant dix minutes.

Incorporez la crème fraîche. Réchauffez sans laisser cuire.

Retirez du feu. Saupoudrez de coriandre hachée.

Conseils :
Pour faire un velouté aux courgettes, vous pouvez aussi procéder comme pour la recette du velouté aux champignons, page 112

Avec votre mixer, pour ne pas fatiguer le moteur, il est préférable de ne pas trop remplir le bol, de faire le mixage en plusieurs fois, 500 g de légumes est un maximum pour un travail efficace.

VELOUTÉ DE HARICOTS VERTS

○ △ □

Raisonnable
Préparation : 10 mn
Cuisson : 40 mn

POUR 4 PERSONNES :

- 1/2 l de bouillon (concentré)
- 7 dl de lait
- 400 g de haricots verts
- 1 dl de crème
- 60 g de beurre
- 25 g de farine

Faites blanchir les haricots pendant 10 mn à l'eau salée. Égouttez-les. Préparez une béchamel avec 25 g de farine, 60 g de beurre et le lait. (Recette sauce béchamel au mixer p. 207).

Faites cuire les haricots dans la béchamel pendant 30 mn, après en avoir réservé une poignée.

Passez-les, avec le bouillon, au mixer pendant 45 secondes. Ajoutez la crème.

Dans la soupière, mettez les haricots réservés et versez le potage.

VELOUTÉ DE POIREAUX

○ △ □

Bon marché
Préparation : 10 mn
Cuisson : 1 h

POUR 5/6 PERSONNES :

- 1 l et demi d'eau
- 200 g de poireaux
- 300 g de pommes de terre
- 30 g de beurre
- 1/2 l de lait
(ou 1/2 lait plus 1/2 crème)

Coupez en dés poireaux et pommes de terre, mettez-les dans l'eau froide, salez, poivrez et faites cuire à petit feu pendant une heure.

Passez au mixer pendant 30 secondes et ajoutez le lait chaud, ou le lait plus la crème.

Mettez le beurre dans la soupière et versez le potage.

D'AUTRES IDÉES DE VELOUTÉS :

— Velouté au cresson
1 botte de cresson, 3 pommes de terre, 4 oignons, beurre, crème fraîche, 1 litre d'eau.

— Velouté au céleri-rave
1/2 boule de céleri-rave, 1 tige de céleri, beurre, crème fraîche, 1 litre de bouillon de poule.

— Velouté au concombre
1 kg de concombres, 500 g de pommes de terre, crème fraîche, 2 litres d'eau.

— Velouté aux carottes
8 carottes, 1 pomme de terre, crème fraîche, beurre, 1 litre d'eau.

— Velouté aux betteraves
350 g de betteraves, crème fraîche, 1 litre de bouillon de bœuf.

VELOUTÉ AU POTIRON

○△□

Raisonnable
Préparation : 15 mn
Cuisson : 1 h

POUR 4 PERSONNES :

- **750 g de potiron**
- **4 pommes de terre**
- **1 échalote** | **ou 2**
- **1 gousse d'ail** | **oignons**
- **100 g de beurre**
- **1 dl de crème fraîche**
- **sel, poivre**
- **1 l 1/2 d'eau**

Épluchez le potiron et les pommes de terre, l'échalote et l'ail ou les 2 oignons.

Dans une casserole, faites fondre le beurre. Ajoutez le potiron, l'ail et l'échalote. Faites-les revenir dix minutes. Ajoutez les pommes de terre coupées en tranches. Laissez cuire 5 minutes.

Versez 1 litre et demi d'eau salée sur le mélange. Poivrez. Couvrez et laissez cuire à feu doux quarante-cinq minutes.

Séparez le bouillon des légumes avec une passoire. Réduisez les légumes au mixer en une purée très fine.

Reversez la purée dans le bouillon et mélangez bien.

Ajoutez la crème fraîche. Réchauffez sans laisser cuire avant de servir.

Conseil :
Le potage au potiron peut aussi se faire en version sucrée en remplaçant l'eau par du lait et en supprimant les pommes de terre.

VELOUTÉ A LA TOMATE

○ △ □

Bon marché
Préparation : 15 mn
Cuisson : 35 mn

POUR 4 PERSONNES :

- 4 tomates
- 4 pommes de terre
- 1 oignon
- 5 gousses d'ail
- 2 cuill. à soupe
d'huile d'olive
- thym, laurier
- sel, poivre
- 2 l d'eau

Épluchez les pommes de terre, l'oignon.

Faites cuire les tomates, les pommes de terre et l'oignon dans 2 litres d'eau bouillante salée en ajoutant l'ail, le thym et le laurier.

Faites cuire une heure.

Séparez les légumes du bouillon avec une passoire. Passez les légumes au mixer pour les réduire en une purée très fine. Poivrez.

Reversez les légumes dans le bouillon. Mélangez bien et servez avec du basilic cru haché, si c'est la saison.

Conseils :
Avec une boîte de tomates pelées au naturel : mettez directement dans le bol les tomates, leur jus, l'huile d'olive, 2 cuillères à soupe de farine, l'ail, le thym, le laurier. Mixez pour obtenir une purée parfaitement lisse. Faites chauffer quelques minutes doucement dans 3/4 de litre d'eau. Poivrez.

BASE : PURÉE DE POMMES DE TERRE △□

Bon marché
Préparation : 5 mn
Cuisson : 15 mn

POUR 4 PERSONNES :

■ 1 kg de pommes
de terre
■ 3 dl de lait
■ 1 cuill. de crème
fraîche (facultatif)
■ une pointe de couteau
de muscade (facultatif)
■ sel, poivre

Épluchez les pommes de terre et faites-les cuire à l'eau bouillante salée pendant une quinzaine de minutes.

Il faut qu'elles soient encore un peu fermes quand vous les égoutterez.

Remplissez le bocal de votre mixer aux 2/3 de sa contenance avec les pommes de terre égouttées. Mixez après avoir ajouté la moitié du lait et un peu de crème fraîche.

Recommencez l'opération avec le reste des pommes de terre, le lait et la crème. Si vous aimez la muscade, il faut l'ajouter en parts égales au début de chaque mélange.

ALIGOT ROUERGAT

Raisonnable
Préparation : 15 mn
Cuisson : 40 mn

POUR 4 PERSONNES :

- 1 kg de pommes de terre
- 1 gousse d'ail
- 1 verre de lait
- 400 à 500 g de tomme fraîche de Cantal non affinée
- 80 g de beurre
- 100 g de crème fraîche
- sel, poivre

Faites cuire les pommes de terre non pelées à l'eau salée pendant 30 mn. Pendant ce temps, pilez l'ail pelé dans un mortier et coupez le Cantal en petits morceaux.

Quand les pommes de terre sont cuites, épluchez-les et passez-les au mixer avec le verre de lait, à vitesse lente. En mixant par impulsions, ajoutez le beurre mou, la crème, l'ail pilé, et les morceaux de Cantal, jusqu'à ce que vous obteniez une pâte lisse.

Remettez la purée sur le feu, dans une casserole, et remuez à la spatule. Il faut que la purée n'adhère plus à la casserole.

Servez aussitôt.

CAVIAR D'AUBERGINES

Raisonnable
Préparation : 10 mn
Cuisson : 15 mn

POUR 4 PERSONNES :

- 5 aubergines
- 1 verre d'huile d'olive
- 5 ou 6 gousses d'ail
- 1 cuill. à café de jus de citron
- sel, poivre

Lavez et essuyez les aubergines, en enlevant seulement la queue et les petites feuilles piquantes.

Coupez-les en deux dans le sens de la longueur et mettez-les sous le gril très chaud de votre four, en les tournant de temps en temps, jusqu'à ce que la peau soit croustillante.

Piquez avec une fourchette pour vérifier si la chair est molle avant de les sortir du four.

Posez-les sur un plat et recouvrez-les avec du papier absorbant humecté d'eau. Au bout de quelques minutes, vous pourrez les éplucher sans difficulté.

Mettez la pulpe des aubergines dans le bocal du mixer avec les gousses d'ail préalablement écrasées.

Mixez par impulsions pendant quelques minutes, avant d'ajouter l'huile comme pour une mayonnaise.

Quand la purée est homogène, ajoutez le jus de citron, sel et poivre, mettez-la au réfrigérateur pendant plusieurs heures.

FONDUE DE CHAMPIGNONS

○ △ ▢

Raisonnable
Préparation : 10 mn
Cuisson : 10 mn

POUR 4 PERSONNES :

- 500 g de champignons de Paris très frais
- 1/2 l de lait
- 1 cuill. à soupe de jus de citron
- 1 cuill. à soupe de Maïzena ou de fécule de pommes de terre
- crème fraîche (facultatif)
- sel, poivre, muscade

Nettoyez les champignons sans les peler. Lavez-les rapidement et essuyez-les. Mettez-les à cuire dans une casserole avec le lait, sel, poivre et muscade râpée, pendant 10 mn à douce ébullition. Ne couvrez pas la casserole.

Égouttez les champignons cuits (le lait de cuisson servira ultérieurement à préparer une béchamel ou un potage). Mettez-les, chauds, dans le bocal du mixer avec la cuillère de jus de citron et la Maïzena ou la fécule. Couvrez et mixez à plusieurs reprises, pendant quelques secondes jusqu'à ce que vous obteniez une purée très fine à laquelle vous pouvez ajouter de la crème fraîche.

Cette fondue accompagne très bien les paupiettes de veau ou de la volaille (recette p.192).

CHAMPIGNONS EN PURÉE

○ △ ▢

Cher
Préparation : 15 mn
Cuisson : 35 mn

POUR 4 PERSONNES :

- 1 kg de champignons de Paris
- 150 g de beurre
- 75 g de farine
- 1/2 l de lait
- 100 g de crème fraîche
- sel, poivre, muscade, jus de citron

Nettoyez et épluchez les champignons. Hachez-les dans le bocal de votre mixer pour obtenir une purée très fine. Dans la moitié du beurre, faites revenir la purée de champignons dans une casserole, à découvert, afin que toute l'eau s'évapore.

Ajoutez un jus de citron et laissez cuire 5 à 6 mn. Pendant ce temps, préparez une béchamel : faites fondre le reste de beurre dans une casserole émaillée de préférence, et dès qu'il est fondu, versez la farine d'un seul coup, mais en remuant sans arrêt avec une spatule de bois. Quand le mélange est mousseux, versez en une fois le lait froid, laissez cuire à feu doux pendant une dizaine de minutes, tout en remuant régulièrement pour éviter la formation de grumeaux. Vous pouvez aussi préparer la béchamel au mixer (recette p. 207).

Quand la béchamel est cuite, mêlez-y la purée de champignons, la crème, salez, poivrez largement et si vous l'aimez, ajoutez une pointe de muscade. Laissez frémir 2 ou 3 minutes.

La purée de champignons accompagne très bien toutes les viandes blanches et les poissons pochés.

PURÉE D'AUBERGINES, POIVRONS ET TOMATES

○ △ □

Raisonnable
Préparation : 10 mn
Cuisson : 15 mn

POUR 4 PERSONNES :

- 4 aubergines
- 2 poivrons verts
- 2 tomates
- 1 verre d'huile
d'olive
- 1/2 verre de
vinaigre de vin
- 4 cuill. à soupe
de persil haché
- 5 gousses d'ail
- sel, poivre du moulin

Faites griller les aubergines et les poivrons comme dans la recette du caviar d'aubergines.

Mettez dans le bol du mixer la chair des aubergines et des poivrons, avec 2 cuillères à soupe d'huile d'olive.

Mixez par impulsions, puis ajoutez le reste d'huile et le vinaigre. Terminez en ajoutant les tomates épluchées et coupées en gros morceaux, le persil, l'ail, le sel et du poivre. Mixez pour obtenir une purée homogène. Rectifiez l'assaisonnement et mettez une nuit au réfrigérateur.

Avant de servir, décorez la surface de petits dés de tomates crues et de poivrons verts.

PURÉE DE BLANCS DE POIREAUX

○ △ □

Raisonnable
Préparation : 5 mn
Cuisson : 20 mn

POUR 4 PERSONNES :

- 1 kg 500 de poireaux
- 500 g de pommes de terre
- 125 g de crème fraîche
- 1,5 l d'eau
- sel, poivre

Lavez les poireaux, réservez les parties vertes pour un potage.

Faites cuire les blancs de poireaux à l'eau bouillante salée, avec les pommes de terre épluchées, pendant 20 mn.

Égouttez soigneusement, avant de mettre les légumes dans le bocal du mixer. Ajoutez aux légumes un demi verre d'eau de cuisson et la crème fraîche.

Mixez en prenant soin de ramener les légumes au centre du bol, avec la spatule et moteur arrêté.

Variante :
Lavez les poireaux. Détaillez les blancs en tronçons de 3 à 4 cm. Faites-les revenir, dans une casserole avec 50 g de beurre et une pincée de sel. Couvrez et laissez cuire à couvert pendant une vingtaine de minutes. Goûtez pour savoir quand les blancs de poireaux seront juste cuits. Égouttez avec l'écumoire et mixez par impulsions, et non à vitesse continue, pour mieux contrôler l'état de la préparation.

Cette purée est parfaite pour accompagner les poissons ou les viandes blanches.

PURÉE DE CAROTTES

○△□

Raisonnable
Préparation : 15 mn
Cuisson : 35 mn

POUR 4 PERSONNES :

- 750 g de carottes
- 80 g de crème fraîche
- 10 g de sucre
- 40 g de beurre
- sel, poivre

Épluchez les carottes, enlevez le centre s'il est fibreux et découpez-les au coupe et râpe légumes avec le coupe-rondelles grille fine.

Faites revenir les rondelles de carottes dans une casserole avec une cuillère à soupe de beurre (environ 40 g), 10 g de sucre et un peu de sel. Couvrez et faites cuire à couvert et à feu modéré pendant 1/2 heure, en surveillant de temps en temps l'avancement de la cuisson.

A la fin de la cuisson, ajoutez dans la casserole 2 cuillères à soupe rase de crème fraîche (environ 80 g). Portez à ébullition et versez immédiatement dans le bocal du mixer. Mélangez par impulsions jusqu'à l'obtention d'une purée légère et homogène.

GRATIN DE CAROTTES

○△□

Raisonnable
Préparation : 10 mn
Cuisson : 30 mn ou
10 mn à la vapeur

POUR 5/6 PERSONNES :

- 750 g de carottes
- 750 g de pommes de terre
- 2 œufs entiers
- 200 g de crème fraîche
- 40 g de beurre
- sel, poivre, muscade

Faites cuire, à la vapeur de préférence, pendant 10 mn, les carottes épluchées et découpées en rondelles et les pommes de terre en morceaux.

Versez les légumes cuits par moitié dans le bocal de votre mixer et faites une purée fine. Ajoutez alors en mélangeant par impulsions, l'un après l'autre, les 2 œufs, puis la crème fraîche.

Goûtez, salez et ajoutez une pointe de muscade, avant de verser la purée dans un plat à gratin beurré. Répartissez quelques dés de beurre sur la surface avant de mettre à gratiner à four chaud (th. 6).

Servez quand le gratin est doré.

PURÉE DE CHICORÉE

△ □

Raisonnable
Préparation : 10 mn
Cuisson : 20 mn

POUR 4 PERSONNES :

- 2 kg de chicorée
- 6 croûtons
- muscade
- 100 g de crème fraîche
- 50 g de beurre
- sel, poivre

Après avoir enlevé les feuilles dures ou fanées, lavez les salades à grande eau, coupez-les en 4 et faites-les cuire à l'eau bouillante salée pendant 1/4 d'heure.

Égouttez-les soigneusement en les pressant dans une passoire.

Remplissez le bocal du mixer aux 2/3 de sa contenance avec la salade cuite, ajoutez la moitié de la crème fraîche et mixez pour obtenir une purée homogène.

Recommencez l'opération pour le reste de chicorée et de crème fraîche. Rectifiez l'assaisonnement.

Vous pouvez faire gratiner, dans un plat beurré, la purée de chicorée en lui ajoutant 100 g de gruyère râpé, et ajoutez, avant de servir, quelques croûtons dorés au beurre.

Variante :

De la même façon, vous pouvez préparer de la purée d'épinards, d'oseille, de laitues, en ajoutant avant de faire gratiner un morceau de sucre, et un peu de muscade tout spécialement dans la purée d'épinards et d'oseille.

PURÉE DE CHOU-FLEUR

○ △ □

Raisonnable
Préparation : 10 mn
Cuisson : 15 mn

POUR 4 PERSONNES :

■ 1 kg de bouquets
de chou-fleur
■ 300 g de pommes
de terre
■ 100 g de crème fraîche
■ 1,5 l d'eau
■ 100 g de gruyère râpé
(facultatif)
■ sel, poivre

Faites blanchir 5 mn à l'eau bouillante les bouquets de chou-fleur. Égouttez-les.

Faites-les cuire à l'eau bouillante salée avec les pommes de terre pendant 15 mn.

Versez les légumes dans le bol du mixer, jusqu'aux 2/3 de sa contenance, en veillant à partager également les bouquets de chou-fleur et les pommes de terre. Ajoutez la crème fraîche et le gruyère râpé en parts égales par mélange.

Ayez toujours sous la main une spatule (en caoutchouc de préférence) pour ramener au centre du bol — moteur arrêté — les légumes répartis sur les parois, afin d'obtenir une purée homogène.

Versez la purée dans un plat à four beurré, parsemez de petits dés de beurre, couvrez d'une feuille d'aluminium, gardez au chaud à four tiède jusqu'au moment de servir.

PURÉE DE CELERI-RAVE

Variante :

En procédant de la même manière, vous ferez une purée de celeri-rave avec 1 céleri-rave de 1 kg, 300 g de pommes de terre, 125 g de crème fraîche et 50 g de beurre.

PURÉE DE CRESSON

○ △ □

Raisonnable
Préparation : 10 mn
Cuisson : 2 mn

POUR 4 PERSONNES :

- Les feuilles de
4 bottes de cresson
- 1 quartier de citron
pelé à vif et coupé
en morceaux
- 2 cuill. à soupe
de crème fraîche,
très ferme
- 1 cuill. à soupe rase
de Maïzena ou de fécule
- sel, poivre

Mettez à bouillir une casserole d'eau bien salée.

Lavez à grande eau les feuilles de cresson (vous utiliserez les tiges pour un potage). Réservez une vingtaine de feuilles pour la fin. Plongez les autres dans la casserole d'eau en ébullition, sans les couvrir pour qu'elles restent vertes.

Au bout de 2 minutes d'ébullition, égouttez-les bien à fond. Essorez-les avec un linge. Mettez-les, encore très chaudes, dans le bocal du mixer. Ajoutez-y les feuilles crues mises de côté, le citron coupé, la Maïzena ou fécule et la crème fraîche. Mixez légèrement quelques secondes.

Présentez aussitôt cette purée de cresson avec une viande blanche, des filets de poisson ou même des œufs pochés ou durs.

Mon avis :
Tranchez net les bottes de cresson non déficelées, juste à la base des feuilles avant de les laver. C'est une façon rapide de les préparer pour cette recette.

PURÉE DE HARICOTS BLANCS A LA BRETONNE

○ △ □

Raisonnable
Préparation : 15 mn
Cuisson : 2 h

POUR 4 PERSONNES :

- 600 g de haricots blancs secs
- 1 carotte
- 1 gousse d'ail
- 1 échalote
- 4 tomates
- 3 oignons
- 1 oignon piqué de 2 clous de girofle
- 20 g de beurre ou d'huile
- 100 g de crème fraîche
- 1 bouquet garni
- sel, poivre

Après les avoir lavés, plongez les haricots dans une casserole d'eau froide non salée. Faites-les bouillir 15 mn. Égouttez-les. Remettez-les dans la casserole avec la carotte coupée en rondelles, l'oignon piqué de 2 clous de girofle, l'échalote et l'ail. Couvrez largement d'eau froide. Couvrez et laissez mijoter 1 h 30 environ (ou 20 mn seulement en autocuiseur). Salez et poivrez à mi-cuisson.

Pendant la cuisson des haricots blancs, émincez 3 oignons au coupe et râpe-légumes, et faites-les dorer légèrement avec 20 g de beurre ou d'huile. Coupez les tomates en gros morceaux et ajoutez-les aux oignons, avec sel et poivre. Faites cuire à feu moyen, sans couvrir, 10 mn environ.

Quand les haricots blancs sont cuits, tout en étant encore fermes, égouttez-les et enlevez le bouquet garni.

Versez les haricots dans le mixer en le remplissant aux 2/3 seulement. Ajoutez la moitié des tomates cuites, 3 cuillères à soupe de crème fraîche. Mixez jusqu'à ce que vous obteniez une purée homogène.

Recommencez l'opération avec le reste de haricots, de tomates et de crème fraîche.

Beurrez légèrement un plat à gratin et versez la purée de haricots. Gardez au chaud et avant de servir, saupoudrez de persil haché fin.

Variante :
Mixez en mélangeant par moitié des haricots blancs cuits et des haricots mange-tout cuits à l'eau bouillante salée, et la crème fraîche.

Conseil :
Vous pouvez mélanger à ces purées des restes d'épaule de mouton, ou de gigot, hachés grossièrement. Vous aurez alors un plat principal que vous servirez avec une salade verte croquante, chicorée ou romaine par exemple.

PURÉE D'OIGNONS ROUGES

○ △ ☐

Bon marché
Préparation : 10 mn
Cuisson : 15 mn

POUR 4 PERSONNES :

■ 600 à 700 g de gros
oignons rouges
■ 50 g de beurre
■ 1 verre de bouillon
de volaille obtenu
avec une dose de
concentré
■ 1/2 verre de vin
blanc sec
■ 1 cuill. à café
de sucre en poudre

Bon marché
Préparation : 5 mn
Cuisson : 15 mn

POUR 4 PERSONNES :

■ 600 g d'oignons
■ 1 verre de bouillon
de volaille
(1 dose de concentré)
■ 30 g de beurre
■ 30 g de farine
■ 1 verre 1/2 de lait
■ 1 pincée de noix
de muscade râpée
■ sel, poivre

Épluchez les oignons et faites-les blanchir dans de l'eau bouillante salée pendant 7 à 8 minutes, c'est-à-dire jusqu'à la moitié de leur cuisson.

Égouttez-les et faites-les revenir dans une casserole avec 50 g de beurre et une cuillère à café de sucre en poudre.

Mouillez-les avec le bouillon et le vin blanc et laissez réduire à feu doux, pendant une dizaine de minutes. A la fin de la cuisson, versez le tout dans le bocal du mixer avec une noix de beurre et mixez pour obtenir une purée fine.

Variante :
Pelez les oignons. Coupez-les en 4. Faites-les bouillir 15 minutes à l'eau salée. Égouttez-les.

Dans le bocal du mixer, mettez d'abord le bouillon de volaille chaud, puis les oignons et le beurre. Couvrez et mixez à plusieurs reprises, pour obtenir une purée fine.

Ajoutez-y alors le lait froid, sel, poivre, muscade et la farine. Couvrez et mixez.

Reversez le tout dans la casserole. Faites cuire à feu moyen jusqu'à ébullition.

Servez avec une viande blanche ou une volaille rôtie.

LES PLATS

Viandes, légumes et herbes hachés constituent une mine de recettes amusantes et peu coûteuses. Elles permettent, entre autres, de transformer des restes en plats savoureux et de donner du goût aux fades volailles « industrielles ».

Ce chapitre comprend aussi quelques recettes de cuisine chinoise faciles et rapides à réaliser avec un robot.

BOCCONCINI

Raisonnable
Préparation : 10 mn
Cuisson : 30 mn

POUR 4 PERSONNES :

- 4 escalopes de veau
- 4 tranches de jambon de Paris
- 200 g d'emmenthal
- 50 g de farine
- 400 g de champignons de Paris
- huile
- thym, laurier
- sel, poivre

Faites aplatir les escalopes par votre boucher.

Enlevez les bouts terreux des champignons et lavez-les. Vous pouvez aussi utiliser des champignons en boîte.

Mixez grossièrement le fromage et les champignons.

Sur chaque escalope, posez une tranche de jambon et le hachis fromage-champignons.

Formez des rouleaux et ficelez solidement le tout.

Farinez les paupiettes et faites-les revenir à la poêle dans l'huile une dizaine de minutes, en les retournant sans cesse pour qu'elles dorent.

Salez, poivrez.

Sortez les paupiettes de la poêle pour les mettre dans une sauteuse.

Déglacez la poêle avec un petit verre d'eau et versez sur la viande.

Ajoutez thym et laurier.

Faites cuire doucement à couvert pendant une vingtaine de minutes.

Conseil :
Quand on hache la viande au mixer, ou au hache-viande électrique, il est préférable d'utiliser des viandes très peu fibreuses. Il faut, bien entendu, couper la viande en petits dés avant de la hacher.

Vous pouvez accompagner ce plat de spaghettis ou de petits pois. Et les bocconcinis se servent aussi souvent sur canapés, des tranches de pain de mie rissolées rapidement dans de l'huile chaude.

BOULETTES DE VIANDE AUX LÉGUMES △ □

Raisonnable
Préparation : 20 mn
Cuisson : 1 h 20

POUR 5 A 6 PERSONNES :

- 600 g de steak
- 500 g d'échine de porc
- 4 gousses d'ail
- 125 g de farine
- 3 œufs
- 200 g d'olives vertes dénoyautées
- 2 cuill. à soupe d'huile d'olive
- 1 oignon
- 500 g de tomates en boîte
- persil
- cayenne
- sel, poivre

Hachez les viandes, steak et échine, avec l'ail.

Dans un saladier, mélangez le hachis, deux œufs et un jaune d'œuf.

Salez, poivrez.

Faites chauffer l'huile dans une cocotte.

Formez des boulettes de la grosseur d'un œuf avec le hachis.

Passez-les dans la farine et faites-les dorer dans la graisse.

Mettez-les en réserve.

Émincez finement l'oignon et faites-le dorer dans la cocotte.

Ajoutez une cuillère à soupe rase de farine. Mouillez avec deux verres d'eau.

Amenez doucement à ébullition. Salez, poivrez. Ajoutez les tomates, les olives, les boulettes. Rajoutez de l'eau si nécessaire.

Faites mijoter une heure à couvert à feu doux.

Conseil :
Vous pouvez, pour ce plat, utiliser des bas morceaux à condition qu'ils soient bien maigres.

BOULETTES DE VIANDE SUISSES

Bon marché
Préparation : 15 mn
Cuisson : 10 mn

POUR 4 PERSONNES :

- 500 g de chair
à saucisse
- 3 tranches de pain
de campagne
- 1 verre de lait
- 1 verre d'eau
- 1 œuf
- 1 tasse de farine
- beurre
- ciboulette, persil
- poivre, paprika

Trempez le pain dans le mélange eau et lait. Pressez-le pour en extraire le liquide.

Mixez grossièrement ensemble le pain, la chair à saucisse, l'œuf, la ciboulette, le persil et le paprika. Salez et poivrez.

Sortez la préparation du bocal du mixer. Formez des boulettes de la grosseur d'une noix. Farinez-les.

Faites-les revenir quelques minutes dans une poêle avec du beurre.

Servez très chaud avec de la purée de pommes de terre.

BRANDADE DE MORUE

○ △ □

Bon marché
Préparation : 10 mn
Cuisson : 15 mn

POUR 4 PERSONNES :

- 750 g de morue séchée
- 1 verre d'huile d'olive
- 1 verre de lait
- 4 gousses d'ail
- 3 pommes de terre
- sel, poivre

Faites dessaler la morue en morceaux pendant vingt quatre heures. Changez l'eau de temps en temps.

Mettez la morue dessalée dans une casserole d'eau froide. Amenez à ébullition. Baissez le feu et laissez cuire un quart d'heure.

Épluchez les pommes de terre et faites-les cuire à l'eau. Vous pouvez les faire cuire avec la morue.

Égouttez la morue. Laissez tiédir. Retirez les arêtes.

Dans le bocal du mixer, versez la morue émiettée, les pommes de terre, l'ail épluché. Mixez grossièrement. Ajoutez doucement et alternativement le lait et l'huile de façon à obtenir une préparation très crémeuse.

Assaisonnez et servez avec des olives noires.

CANARD FARCI AUX OLIVES

△ □

Raisonnable
Préparation : 20 mn
Cuisson : 1 h 15

POUR 5/6 PERSONNES :

- 1 canard
- 40 g de beurre
- 1 carotte
- 2 oignons
- 1 bouquet garni
- 2 petits verres
de vin blanc sec
- 1/2 boîte de tomates
pelées au naturel
- 100 g d'olives vertes
dénoyautées
- sel, poivre

La farce :

- 1 cuill. à café de beurre
- 2 oignons
- 100 g de lard maigre frais
- 1 cuill. à soupe de persil
- 50 g d'olives vertes
dénoyautées
- 1 œuf
- 1 tasse de mie de pain
trempée dans du lait
- poivre

Videz le canard. Mettez de côté les abats. Retirez la poche de fiel et lavez les abats à grande eau.

Préparez la farce : Épluchez les oignons et émincez-les. Faites-les revenir dans un peu de beurre.

Ôtez la couenne du lard. Coupez-le en morceaux. Mettez-le dans le bocal du mixer avec les abats, les oignons, les olives, le persil, l'œuf battu, la mie de pain essorée. Mixez pour obtenir une farce fine et homogène. Poivrez. Ne salez pas.

Remplissez l'intérieur du canard. Cousez les ouvertures.

Épluchez les oignons. Émincez-les grossièrement.

Mettez le beurre dans une cocotte. Faites revenir le canard.

Quand il est doré de tous les côtés, mettez-le en réserve.

Dans le beurre de cuisson, mettez les oignons. Laissez-les dorer en remuant sans cesse. Quand les oignons sont dorés, saupoudrez-les avec de la farine. Faites roussir.

Mouillez avec le vin blanc. Laissez cuire très doucement.

Versez les tomates égouttées dans le bocal du mixer. Mixez grossièrement.

Faites blanchir les olives dans de l'eau froide. Amenez à ébullition et laissez bouillir trois minutes.

Ajoutez dans la cocotte les tomates, le canard. Faites cuire à feu doux une heure et quart. Assaisonnez.

Servez le canard découpé ainsi que la farce, nappé de sauce de cuisson à laquelle vous ajouterez les olives blanchies.

160

CHILI CON CARNE

△ ☐

Préparation : 15 mn
Cuisson : 2 h 15

POUR 4 PERSONNES :

- 500 g de haricots rouges
- 800 g de steak
- 50 g de beurre
- 4 cuill. à soupe d'huile
- 1 boîte de tomates pelées
- 1 poivron vert
- 1 poivron rouge
- 1 cuill. à soupe de farine
- 4 oignons
- 4 gousses d'ail
- 1 cuill. à café de piment doux ou fort (selon votre goût)
- 1 cuill. à café de cumin
- sel, poivre

Faites tremper les haricots dans de l'eau pendant une dizaine d'heures.

Égouttez-les dans une casserole. Recouvrez-les d'eau froide, faites-les cuire une bonne heure à feu doux.

Épluchez les oignons. Émincez-les ainsi que les poivrons. Faites revenir le tout dans une poêle avec le beurre.

Épluchez l'ail. Hachez-le grossièrement.

Dans la poêle, ajoutez les tomates sans leur jus et l'ail. Laissez cuire doucement une dizaine de minutes.

Hachez la viande grossièrement.

Dans une cocotte, faites revenir la viande hachée dans l'huile.

Ajoutez les légumes, les haricots égouttés, sel et poivre, piment.

Mouillez avec 75 cl d'eau. Couvrez. Laissez cuire doucement une heure.

Mélangez la farine avec le cumin. Délayez le mélange avec un peu de jus de cuisson.

Ajoutez cette liaison dans la cocotte. Laissez cuire encore une dizaine de minutes.

Relevez l'assaisonnement selon votre goût. Le chili con carne se mange au Mexique très fortement épicé.

Conseil :
Quand on hache la viande au mixer, ou au hache-viande électrique, il est préférable d'utiliser des viandes très peu fibreuses. Il faut, bien entendu, couper la viande en petits dés avant de la hacher.

CHOU FARCI PÉRIGOURDIN

△ □

Cher
Préparation : 25 mn
Cuisson : 1 h 30

POUR 5/6 PERSONNES :

- 1 chou vert
- 1 cuisse de confit
d'oie ou de canard
- 300 g de chair
à saucisse
- 2 œufs
- 3 carottes
- 2 tomates
- oignons
- 3 tranches de pain
de mie
- 1/2 verre de lait
- sel, poivre
- 3 gousses d'ail
- 1 dl de bouillon
- graisse d'oie

Farce :

Préparez la farce : désossez la cuisse de confit, ajoutez la chair à saucisse, les œufs et la mie de pain préalablement trempée dans du lait, les trois gousses d'ail, sel et poivre. Malaxez jusqu'à ce que le mélange soit homogène.

Chou :

Faites bouillir de l'eau dans un faitout. Lavez le chou. Lorsque l'eau bout, trempez le chou la tête en bas dans l'eau frémissante, pendant 2 minutes.

Égouttez-le puis, lorsqu'il est un peu refroidi, ouvrez les feuilles ébouillantées sans les couper sur une épaisseur d'une dizaine de feuilles.

Découpez alors le cœur du chou (réservez-le pour une soupe). Répartissez la farce à l'intérieur des feuilles, rabattez-les l'une après l'autre en les serrant bien autour de la farce.

Ficelez le chou.

Dans une cocotte en fonte, mettre 3 cuillères à soupe de graisse d'oie. Faites revenir le chou sur toutes ses faces. Placez dans la cocotte, les oignons émincés, les carottes découpées en rondelles avec votre coupe-légumes et les tomates pelées, coupées en quatre. Arrosez avec 1 dl de bouillon. Salez, poivrez. Couvrez et laissez cuire 1 h 30 en retournant de temps en temps le chou.

CÔTELETTES POJARSKY

△ □

Raisonnable
Préparation : 15 mn
Cuisson : 15 mn

POUR 4 PERSONNES :

- 4 beaux blancs de poulet
- 4 échalotes
- 100 g de champignons de Paris
- estragon
- 2 œufs
- 2 cuill. à soupe de crème fraîche
- 100 g de farine
- 1 tasse de chapelure
- 50 g de beurre

Nettoyez les champignons et ôtez le bout terreux. Coupez-les en morceaux.

Épluchez les échalotes et coupez-les en morceaux.

Mixez grossièrement ensemble les champignons, les échalotes, l'estragon et le poulet ; ajoutez 2 cuillères à soupe de farine, un œuf, la crème fraîche. Salez et poivrez. Mixez plus longuement pour obtenir une préparation compacte.

Retirez la farce du bocal du mixer. Séparez-la en 4 ou 6 parts que vous reconstituerez en forme de côtelettes.

Passez les côtelettes dans la farine puis dans un œuf battu et enfin dans la chapelure. Laissez sécher.

Faites cuire ensuite doucement une dizaine de minutes dans une poêle avec du beurre en les retournant pour qu'elles dorent bien.

CROQUETTES AUX PÂTES

△ ☐

Bon marché
Préparation : 15 mn
Cuisson : 10 mn

POUR 4 PERSONNES :

- 100 g de restes
de pâtes
- 300 g de restes
de rôti de veau cuit
- 100 g de jambon
de Paris
- 1 oignon
- 2 cuill. à soupe
de crème fraîche
- 1 œuf
- farine
- 50 g de gruyère râpé
- 50 g de chapelure
- 2 cuill. à soupe d'huile
- 50 g de beurre
- sel, poivre

Hachez ensemble le veau et le jambon. Ajoutez les pâtes. Hachez grossièrement le tout. Versez dans un saladier.

Épluchez l'oignon. Émincez-le et faites-le dorer doucement dans une partie du beurre. Ajoutez-le dans le saladier.

Ajoutez le gruyère râpé et la crème fraîche. Mélangez bien. Assaisonnez.

Formez 8 petits tas avec la farce. Farinez-les légèrement.

Passez les croquettes d'abord dans l'œuf battu, ensuite dans la chapelure.

Dans une cocotte, faites fondre l'huile et le beurre ensemble.

Posez les croquettes au fond de la cocotte sur un feu assez doux.

Faites-les cuire cinq minutes de chaque côté.

FARCE POUR LÉGUMES

△ □

Bon marché
Préparation : 15 mn

Farce de viande cuite

- 250 g de viande cuite
ou de poitrine de porc crue
- 1 oignon
- 3 cuill. à soupe de pulpe
du légume à farcir
- 1 bol de mie de pain
- 1/2 verre de lait
- 1 œuf
- 1 gousse d'ail
- 1 noix de beurre
- persil
- sel, poivre

Épluchez l'ail et l'oignon. Hachez-les avec la pulpe du légume farci (sauf pour les tomates). Faites fondre ce hachis dans le beurre.

Lavez le persil. Hachez-le avec la viande. Versez dans un saladier.

Hachez la mie de pain dans le bocal du mixer en ajoutant le lait petit à petit, de façon à obtenir une pommade.

Dans le saladier, ajoutez l'oignon et l'ail fondu, l'œuf, sel, poivre, la pommade de mie de pain. Mélangez bien.

Garnissez les légumes évidés, parsemez de noisettes de beurre et de gruyère râpé si vous aimez. Faites cuire de 35 mn à 1 heure, selon le légume choisi, dans un four moyen, dans un plat bien huilé.

Conseils :
Avec ces farces, vous pouvez farcir soit :
— 8 tomates
— 8 courgettes
— 12 feuilles de chou
— 4 aubergines
— 4 pommes de terre
— 4 poivrons
— 4 oignons
— 1 chou

Variante :
Vous pouvez remplacer la viande de porc par : moitié porc, moitié mouton ou moitié porc, moitié veau ou même par un reste de poisson blanc cuit.

La mie de pain peut être remplacée par du riz lavé (100 g). Dans de cas, ne pas remplir complètement le légume, car le riz gonfle à la cuisson.

Le persil peut aussi être remplacé par d'autres fines herbes (menthe, ciboulette...).

FARCE POUR VOLAILLE

△ □

Bon marché
Préparation : 10 mn

- 100 g de foies de volaille
- 1 gésier
- 50 g de jambon cru
- 2 jaunes d'œuf
- 50 g de mie de pain trempée dans du lait
- 1 noix de beurre
- 2 échalotes
- 1 gousse d'ail
- 1 cuill. à soupe de Cognac
- persil
- sel, poivre

Épluchez ail et échalotes. Mixez-les ensemble avec le gésier.

Ajoutez dans le bocal du mixer le jambon cru et le persil lavé et équeuté. Mixez une seconde fois jusqu'à ce que le mélange soit très fin, sans être pâteux.

Dans le bol du mixer, mettez la mie de pain essorée et les foies de volaille. Mixez, puis ajoutez les deux jaunes d'œuf en continuant à mixer.

Réunissez les deux préparations dans un saladier, ajoutez le Cognac. Salez, poivrez. Mélangez bien.

Cette farce sert à remplir un poulet de 1,5 kg environ ou 2 coquelets ou une pintade.

Variantes :

Farce de dinde :
400 g de porc - 100 g de foies de volaille - 1 petit verre de Porto - 1 petit verre de Cognac - 2 œufs - sel - poivre.

Farce mixte :
125 g de veau - 125 g de porc - 1 œuf - 1 cuillère à soupe de persil - 2 oignons - 50 g de mie de pain trempée dans du lait - 100 g de champignons ou 100 g de marrons au naturel - 1 noix de beurre - sel - poivre.

FEUILLES DE CHOU FARCIES

△ ▢

Raisonnable
Préparation : 30 mn
Cuisson : 45 mn

Pour 12 feuilles :

- 400 g d'épaule
de mouton
- 3 oignons
- 3 gousses d'ail
- 1/2 boîte de tomates
pelées au naturel
- 1 cuill. à soupe
d'huile d'olive
- sel, poivre

Épluchez ail et oignons. Hachez-les grossièrement. Faites-les fondre dans une sauteuse avec l'huile.

Hachez la viande de mouton.

Ajoutez dans la sauteuse la viande, les tomates égouttées. Salez et poivrez. Laissez cuire vingt minutes doucement à découvert.

Faites blanchir les feuilles de chou deux à trois minutes dans une grande quantité d'eau. Égouttez-les et étalez-les à plat, coupez-les en 2 et enlevez les côtes.

Garnissez chaque feuille d'un peu de farce, fermez les feuilles en petits paquets.

Disposez le tout dans une sauteuse ; ajoutez un peu d'eau et quelques morceaux de beurre.

Faites cuire quarante-cinq minutes doucement à couvert. Servez chaud ou froid.

FRICATELLES ORIENTALES

△ ▢

Raisonnable
Préparation : 15 mn
Cuisson : 20 mn

Pour 6 boulettes :

- **1 kg de poitrine de veau désossée**
- **200 g d'épaule de mouton**
- **2 œufs**
- **1 crépine de porc**
- **1 verre de lait**
- **1 tranche de pain de mie**
- **4 oignons**
- **menthe fraîche**
- **1 verre de vin blanc sec**
- **100 g de beurre**
- **3 cuill. à soupe d'huile d'arachide**
- **sel, poivre**

Faites tremper la crépine dans de l'eau pendant quelques heures.

Hachez ensemble le veau et le mouton, 2 oignons et la menthe.

Ajoutez la mie de pain trempée dans le lait et pressée, les œufs. Salez, poivrez. Vous pouvez ajouter une pincée de safran.

Faites 6 boulettes que vous enveloppez dans la crépine. Fermez-les bien hermétiquement.

Dans une cocotte, faites fondre le beurre avec l'huile. Faites blondir les 2 oignons finement émincés.

Ajoutez les fricatelles et faites-les revenir doucement.

Lorsqu'elles sont dorées, jetez le gras de cuisson et déglacez avec le vin blanc.

Continuez la cuisson à feu très doux. Couvrez et laissez cuire 1/4 d'heure environ.

Servez chaque fricatelle décorée d'une feuille de menthe fraîche, avec des courgettes sautées.

GÂTEAU DE CHAMPIGNONS

△ □

Raisonnable
Préparation : 20 mn
Cuisson : 40 mn

POUR 5/6 PERSONNES :

- 750 g de champignons de Paris (ou mieux, des rosés des prés)
- 1 cuill. à café de jus de citron
- 200 g de jambon cuit
- 4 œufs
- 1 petit pot de crème fraîche
- 1 petit verre de madère
- 1 tasse à thé de mie de pain rassis
- 100 g de beurre
- 6 échalotes
- ciboulette
- persil
- sel, poivre

Coupez le pied terreux des champignons. Lavez-les et essorez-les. Faites-les cuire avec le jus de citron et 50 g de beurre à feu doux pendant dix minutes.

Égouttez-les et conservez le jus de cuisson.

Épluchez et mixez finement les échalotes avec la ciboulette au mixer. Faites-les cuire à feu doux dans du beurre pendant 10 minutes.

Hachez les champignons et le jambon grossièrement.

Mettez ce hachis dans une terrine.

Ajoutez le hachis d'échalotes, la mie de pain, la crème fraîche, le persil haché, le madère et le jus de cuisson des champignons, 2 œufs entiers, 2 jaunes d'œufs.

Assaisonnez. Mixez bien tous ces éléments pour obtenir une farce fine et homogène.

Faites chauffer le four. Beurrez un moule à bords hauts.

Battez les deux blancs d'œufs restants en neige. Incorporez-les délicatement à la préparation. Versez dans le moule.

Placez le moule au bain-marie et laissez cuire au four (moyen th. 6/7) pendant 40 minutes.

Pour servir, démoulez le gâteau de champignons.

Conseil :
Vous pouvez servir ce gâteau avec une sauce. Battez 125 g de crème fraîche. Faites réduire dans une casserole 3 cuillères à soupe de vinaigre et du poivre. Laissez tiédir. Ajoutez 3 jaunes d'œufs.

Mettez au bain-marie à petit feu en ajoutant petit à petit 100 g de beurre. Salez. Lorsque la sauce s'est épaissie, ajoutez la crème fraîche.

HACHIS PARMENTIER

△ □

Bon marché
Préparation : 15 mn
Cuisson : 30 mn

POUR 4 PERSONNES :

- 300 g de restes
de viande cuite
- 500 g de pommes
de terre
- 20 g de chapelure
- 2 oignons
- 2 gousses d'ail
- 50 g de beurre
- 1/2 verre de lait
- persil
- sel, poivre

Épluchez les pommes de terre et faites-les cuire dans de l'eau salée.

Mixez les pommes de terre cuites, le beurre, sel et poivre en versant petit à petit juste ce qu'il faut de lait. Contrôlez vous-même la consistance de la purée que vous désirez, plus ou moins fine, plus ou moins onctueuse.

Épluchez ail et oignons.

Hachez la viande, les oignons et l'ail.

Dans un plat à gratin, alternez une couche de purée, la viande hachée, une autre couche de purée. Saupoudrez de chapelure.

Mettez à gratiner à four chaud 10 minutes.

Servez saupoudré de persil haché.

Conseil :
La quantité de liquide (eau, bouillon ou lait) pour une purée dépend de votre goût quant à sa consistance, plus ou moins onctueuse, et de la nature des pommes de terre plus ou moins farineuses.

Le temps de mixage intervient aussi pour la consistance de la purée. Plus vous mixez longtemps, plus la purée sera fine et onctueuse.

HAMBURGER

△ □

Raisonnable
Préparation : 10 mn
Cuisson : 15 mn

POUR 1 PERSONNE :

- 100 g de steak
- 100 g d'échine de porc
- 30 g de beurre
- 1 oignon
- 1 œuf
- 2 concombres à la russe
- 1 tranche fine de fromage à fondre
- huile
- sel, poivre

Hachez ensemble les deux viandes.

Épluchez l'oignon et émincez-le finement. Faites-le fondre doucement avec le beurre dans la poêle.

Dans une terrine, mélangez les viandes hachées, l'oignon, l'œuf. Travaillez le tout à la fourchette et formez un steak. Farinez-le très légèrement.

Faites cuire très rapidement à la poêle entre 5 et 10 mn dans moitié beurre et moitié huile. Assaisonnez.

Servez recouvert d'une tranche fine de fromage à fondre avec des concombres à la russe. On peut aussi le servir avec un œuf à cheval.

Variante :
Entourez le hamburger avec des tranches fines de lard fumé. Faites-le cuire en papillote (entouré de papier d'aluminium) pendant vingt minutes à four chaud.

KEFTA MAROCAINE

△ □

Raisonnable
Préparation : 15 mn
Cuisson : 10 mn

Pour 6 à 8 brochettes :

- 500 g de steak ou de mouton
- 1 cuill. à café de cumin
- 2 cuill. à café de piment doux
- 1 pincée de piment fort
- 1 oignon
- menthe fraîche
- coriandre frais
- persil
- sel, huile

Lavez et égouttez les bouquets de persil et de coriandre.

Équeutez-les.

Coupez la viande en morceaux et hachez-la.

Ajoutez à la viande l'huile, le persil, le coriandre, l'oignon épluché et coupé en morceaux, le cumin, le piment doux et le piment fort.

Salez et hachez de nouveau le tout.

Versez dans un saladier. Pétrissez le mélange et laissez reposer une heure environ.

Prenez ce hachis avec les mains légèrement mouillées de façon à en entourer une brochette, en donnant la forme d'une saucisse.

Fixez bien la kefta pour qu'elle ne tourne pas autour de la brochette en cours de cuisson.

Faites griller rapidement à la rôtissoire ou mieux sur du charbon de bois.

Conseil :
Vous pouvez servir les keftas avec une sauce forte faite d'une cuillère à café d'harissa délayée dans de l'huile d'olive et assaisonnée avec un peu de jus de citron, et présentez-les dans un plat avec quelques feuilles de menthe fraîche.

MOUSSAKA

△ □

Raisonnable
Préparation : 20 mn
Cuisson : 45 mn

POUR 4 PERSONNES :

- 300 g de steak ou de mouton
- 2 œufs
- 100 g de parmesan râpé
- 2 oignons
- 6 aubergines
- 4 cuill. à soupe d'huile
- sel, poivre

Épluchez les aubergines, coupez-les en tranches dans le sens de la longueur. Faites-les blanchir en les plongeant deux minutes dans l'eau bouillante.

Égouttez-les, essuyez-les et faites dorer les tranches d'aubergines dans une poêle avec l'huile. Les mettre en réserve.

Épluchez les oignons, faites-les revenir dans l'huile et hachez-les finement avec la viande. Assaisonnez avec sel, poivre. Ajoutez le parmesan.

Dans un plat long huilé, allant au four, alternez une couche d'aubergines et une couche de hachis.

Versez par-dessus les deux œufs battus en omelette. Faites cuire quarante-cinq minutes, à four moyen.

OMELETTE CHINOISE AUX CREVETTES △□

Bon marché
Préparation : 10 mn
Cuisson : 10 mn

POUR 4 PERSONNES :

- 100 g de jambon
- 100 g de champignons de Paris cuits ou 15 g de champignons noirs trempés et bouillis 5 mn
- 50 g de crevettes décortiquées
- 1 cuill. à soupe de sauce de soja
- 4 œufs
- 1 pincée de sel

Hachez grossièrement ensemble au mixer le jambon, les champignons, les crevettes. Ajoutez la sauce de soja.

Dans un autre bol, battez les œufs et le sel.

Dans une poêle bien chaude, faites 4 très fines omelettes.

Sitôt qu'une omelette est prise, déposez sur une moitié de la circonférence le quart de la farce, rabattez l'autre moitié en forme de chausson et appuyez avec la spatule sur les bords pour coller. Laissez cuire encore 1 ou 2 mn.

OMELETTE VIETNAMIENNE

△ □

Raisonnable
Préparation : 5 mn
Cuisson : 20 mn

POUR 4 PERSONNES :

- 150 g de porc maigre
- 150 g de crabe déjà bouilli (ou 1 boîte)
- 5 g de champignons noirs trempés à l'eau tiède et égouttés
- 4 œufs
- persil ou ciboulette

Hachez grossièrement au mixer la viande de porc. Ajoutez le crabe, les champignons noirs égouttés, les œufs, un par un, puis le persil ou la ciboulette. Mixez par impulsions très courtes pour obtenir un mélange mousseux.

Huilez légèrement un plat de terre. Versez-y le mélange qui ne doit pas le remplir complètement.

Faites cuire au bain-marie pendant 20 mn à four chaud (th. 6/7).

PAUPIETTES DE VEAU

Raisonnable
Préparation : 20 mn
Cuisson : 30 mn

Pour 4 paupiettes :

- **4 escalopes**
- **50 g de beurre**
- **4 tranches de gruyère·**
- **4 tranches de jambon de Paris**
- **2 œufs**
- **farine et chapelure**
- **1 cuill. à soupe de moutarde forte**
- **sel, poivre**

Salez et poivrez les escalopes.

Mixez grossièrement le jambon avec le fromage.

Tartinez les escalopes de moutarde. Disposez le hachis sur l'escalope.

Roulez l'escalope comme un gros cigare, la farce à l'intérieur. Repliez les extrémités pour bien enfermer la farce. Ficelez en croix avec du gros fil.

Passez les paupiettes dans l'œuf battu, la farine, puis la chapelure.

Mettez à cuire dans une cocotte contenant le beurre trente minutes, à feu moyen. Couvrez pendant la cuisson.

Conseil :
Les paupiettes sont plus moelleuses quand on les cuit au four. Commencez par les dorer dans la cocotte et terminez la cuisson au four.

Variantes :
Vous pouvez varier les paupiettes selon vos goûts avec des escalopes de dinde, farcies de chair à saucisses, de champignons.

**Farces pour poissons au four
de 1 kg 500**

1) ■ 200 g de champignons
de Paris
■ 20 g de beurre
■ 1 échalote
■ 100 g de mie de pain
■ 1/2 verre de lait
■ 1 jaune d'œuf
■ persil
■ sel, poivre

2) ■ 150 g de mie de pain
■ 1 verre de lait
■ thym, laurier,
fines herbes
■ muscade
■ sel, poivre

3) ■ 2 poireaux
■ 1 oignon
■ 300 g de lard fumé
■ persil
■ 2 gousses d'ail
■ 150 g de mie de pain
■ 1 œuf
■ 40 g de beurre
■ poivre

DAURADE FARCIE *(farce nº 3)* △ □

**Raisonnable
Préparation : 15 mn
Cuisson : 40 mn**

POUR 4 PERSONNES :

■ 1 daurade
■ 1 ou 2 tranches
de lard fumé
■ 50 g de beurre
■ 2 oignons
■ 1/4 de l de vin
blanc sec
■ laurier
■ sel, poivre

Videz le poisson par les ouies sans ouvrir la poche ventrale. Lavez-le soigneusement. Épongez-le. Assaisonnez-le.

Préparez la farce : Épluchez les poireaux, coupez les feuilles vertes pour ne conserver que les blancs ; épluchez les oignons. Hachez le tout grossièrement au mixer.

Coupez le lard en dés, après avoir ôté la couenne. Mettez-les dans une casserole d'eau froide. Laissez cuire cinq minutes après ébullition. Égouttez-les. Passez-les au mixer.

Hachez l'ail et le persil grossièrement au mixer.

Faites chauffer le beurre dans une cocotte. Ajoutez les poireaux et les oignons. Faites blondir. Ajoutez ensuite le lard et faites revenir en remuant sans cesse. Retirez du feu.

Ajoutez à la préparation l'ail et le persil, la mie de pain trempée dans de l'eau et essorée, l'œuf battu. Poivrez. Travaillez bien pour obtenir une pâte homogène.

Emplissez la poche centrale de la dorade avec cette farce. Posez une tranche de lard fumé sous le poisson pour que le ventre n'éclate pas à la cuisson et ficelez.

Beurrez un plat long allant au four. Épluchez et émincez les oignons. Garnissez le fond du plat beurré avec les oignons. Posez le poisson dessus. Arrosez avec le vin blanc. Assaisonnez, ajoutez le laurier. Disposez le reste du beurre en petits morceaux sur le poisson.

Faites cuire pendant 20 mn à four très chaud (th. 8/9), puis 20 mn à four moyen, en couvrant d'une feuille d'aluminium.

Lorsque le poisson est cuit, dressez-le sur un plat de service et retirez délicatement le fil qui l'entoure.

Liez à feu doux le jus de cuisson avec 1 cuill. à soupe de beurre ramolli. Versez cette sauce sur le poisson avant de servir.

PORC A L'ANANAS

△ □

Raisonnable
Préparation : 15 mn
Cuisson : 15 mn

POUR 4 PERSONNES :

- 400 g de porc maigre
- 2 cuill. à soupe
de farine de maïs
- 2 cuill. à soupe
de sauce de soja
- 3 cuill. à soupe
de saindoux
- 1 gros poivron vert
en lamelles
- 1 pincée de gingembre
- 1 cuill. à soupe
d'oignon vert émincé
- 1 grosse tomate
sans peau ni pépins
découpée en dés
- 3 cuill. à soupe
de sucre
- 1 cuill. à soupe
de farine de maïs
- 1 piment langue
d'oiseau écrasé
(se laver les mains)
- 2 cuill. à soupe
de sauce de soja
- 2 cuill. à soupe
de vinaigre
- 1 petite boîte
d'ananas en morceaux

Hachez grossièrement le porc déjà détaillé.

Mélangez dans un bol et à la fourchette, la farine de maïs, le vin blanc et la sauce de soja.

Jetez les petits morceaux de porc dans ce mélange en remuant bien, pour bien enrober la viande.

Faites sauter vivement dans 2 cuillères à soupe de saindoux.

A part, avec le saindoux restant, faites revenir vivement pendant 3 mn le poivron et l'oignon découpés en lamelles au coupe-légumes et râpe-légume, ajoutez le gingembre. Après 3 mn de cuisson environ, ajoutez les dés de tomates.

Mélangez à la main, ou dans le bol du mixer, le sucre, 1 cuillère à soupe de farine de maïs, le piment, une cuillère à soupe de sauce de soja, le vinaigre et le jus de la boîte d'ananas. Ajoutez 1/2 verre d'eau si la sauce est trop épaisse.

Portez le mélange sur le feu, laissez mijoter 5 mn, ajoutez alors le porc et les morceaux d'ananas. Laissez réchauffer quelques minutes en remuant et servez.

POULET AUX AMANDES

△ □

Bon marché
Préparation : 10 mn
Cuisson : 15 mn

POUR 4 PERSONNES :

- 400 g de poulet
- 1 cuill. à soupe
de farine de maïs
- 3 cuill. à soupe
de sauce soja
- 1 pincée de glutamate
- 1 cuill. à café de sucre
- 100 g d'amandes
blanchies et épluchées
- 3 cuill. à soupe d'huile
- 30 g de beurre
- 2 cuill. à soupe d'eau

Hachez grossièrement le poulet cru.

Délayez les morceaux de poulet avec la farine de maïs, la sauce de soja, le glutamate et le sucre.

Mondez et faites dorer à feu vif les amandes avec un mélange de beurre et d'huile (30 g de beurre + 1 cuillère à soupe d'huile) dans une petit casserole. Gardez-les au chaud.

Faites sauter le poulet avec l'huile pendant 10 mn à feu vif. Ajoutez l'eau. Remuez et versez les amandes sur les morceaux de poulet, puis finissez la cuisson pendant 5 mn à feu doux.

RUMSTEAK OU
FILET DE BŒUF EN CROÛTE

○ △ □

Cher
Préparation : 20 mn
Cuisson : 10 mn
par livre à partir de
la cuisson de la pâte

POUR 8 PERSONNES :

- 1 kg 400 de rumsteak ou
1 filet de bœuf
de 1 kg 400

Pâte à brioche rapide :

- 180 g de crème
- 175 g de farine
- 1 œuf
- 15 g de levure chimique
- 1 pincée de sel

Dans le bol du mixer, ou dans le grand bol du robot équipé des fouets, mélangez la crème et la farine. Ajoutez l'œuf entier, le sel et la levure. Mixez par impulsions pour obtenir une pâte homogène. Laissez reposer deux heures au réfrigérateur.

Au moment où vous mettez la pâte à reposer, faites dorer la viande sur toutes les faces, dans une cocotte, ou dans une sauteuse. Salez et poivrez. Laissez refroidir.

Quand la pâte est reposée, étalez-la sur la planche à pâtisserie, déposez au centre le filet et enveloppez-le complètement. Soudez les bords avec un peu de farine délayée dans un peu d'eau. Puis dorez le tout à l'œuf battu.

Faites préchauffer le four à thermostat 5/6. Enfournez alors le rôti. Surveillez la cuisson de la brioche. Dès qu'elle est dorée, protégez d'une feuille d'aluminium et comptez alors 10 mn de cuisson par livre de rôti.

La cuisson terminée, éteignez le four et attendez 10 mn avant de servir.

Conseil :
Si vous êtes en avance, mettez le rôti enveloppé de la brioche au frais jusqu'au moment de l'enfourner.

STEAK TARTARE

Bon marché
Préparation : 5 mn
Pas de cuisson

PAR PERSONNE :

- 150 g de steak
- 1 cuill. à soupe
de moutarde
- 1 cuill. à café
de paprika
- 2 cuill. à soupe
de câpres
- 1 cuill. à soupe
de Ketchup
- 1 cuill. à café
de jus de citron
- 1 à 2 cuill. à soupe
d'huile
- 1 cuill. à soupe
de cognac
- 1 oignon finement haché
- 1 jaune d'œuf
- sel, poivre
- sauce Worcester

Hachez la viande. Hachez les oignons.

Vous pouvez servir ce plat en portion individuelle dans chaque assiette avec la viande reconstituée en steak, le jaune d'œuf à cheval sur la viande, les câpres, l'oignon haché à côté et les différents ingrédients sur la table.

Vous pouvez encore préparer le steak tartare dans un grand saladier en mélangeant tout et en goûtant pour compléter l'assaisonnement.

Conseil :
Le steak tartare se sert avec une salade verte ou des frites.

LES BEURRES ET LES SAUCES

Les sauces sont indispensables pour accompagner, napper, parfumer viandes, poissons et légumes. Traditionnellement délicates à réussir et longues à préparer, ce n'est plus vrai avec un robot qui raccourcit le temps et garantit la réussite.

LES BEURRES

On appelle « beurres » des préparations qui servent indifféremment à la confection des canapés ou des sauces liées. La matière première de base est le beurre, amolli et travaillé, auquel on ajoute des ingrédients variés, qui en modifient le goût, la couleur et l'utilisation.

BEURRE D'ANCHOIS   △ □

Préparation : 10 mn
Pas de cuisson

Pour 150 g de beurre d'anchois :

- 100 g de beurre
- 50 g de filets d'anchois dessalés

A l'avance, faites ramollir le beurre à la chaleur ambiante. Lavez les anchois à l'eau courante, enlevez l'arête centrale, faites tremper les filets dans de l'eau froide, 2 heures avant de préparer le beurre d'anchois.
Quand le beurre est amolli, coupez-le en dés dans le bol du mixer, avec les anchois dessalés et détaillés en petits morceaux.
Mixez par impulsions, en remuant régulièrement à la spatule, moteur arrêté. Remettez un moment au réfrigérateur avant de servir.

BEURRE D'ESCARGOT OU
BEURRE A LA BOURGUIGNONNE   △ □

Préparation : 10 mn
Pas de cuisson

Pour 600 g environ :

- 500 g de beurre mou
- 5 gousses d'ail
- 50 g d'échalotes
- 1 botte de persil
- 4 cuill. à café de sel
- 5 g de poivre du moulin

Épluchez l'ail, l'échalote, lavez le persil, coupez les tiges. Coupez le beurre en petits dés, dans le bol du mixer, ajoutez les gousses d'ail, les échalotes, le persil coupés grossièrement. Salez et poivrez. Mixez par impulsions pour obtenir une pâte homogène.

BEURRE D'AIL   △ □

Préparation : 10 mn
Cuisson : 8 mn

Pour 150 g :

- 100 g de beurre mou
- 50 g d'ail
- 1 pincée de sel

Épluchez les gousses d'ail et jetez-les dans de l'eau bouillante salée. Laissez bouillir pendant 8 minutes. Égouttez et épongez soigneusement.
Dans le bol du mixer détaillez le beurre en dés, ajoutez les gousses d'ail cuites et mixez par impulsions.

BEURRE DE CREVETTES   △ □

Préparation : 15 mn
Cuisson : 10 mn

Pour 250 g :

- 100 g de beurre
- 150 g de crevettes grises ou roses
- 1/4 de citron

Si vous utilisez des crevettes fraîches, faites-les cuire 10 mn dans de l'eau bouillante salée. Égouttez-les et enlevez les têtes et carapaces.
Détaillez le beurre dans le bol du mixer et ajoutez les crevettes décortiquées. Mixez par impulsions.

LES SAUCES A BASE DE FARINE

SAUCE BLANCHE ○ △ □

- 30 g de beurre
- 30 g de farine
- 1/2 l de liquide (eau, de cuisson des légumes, bouillon dégraissé, ou court-bouillon)
- sel, poivre

Dans le bol du mixer, mettez le beurre coupé en petits morceaux et la farine. Mixez par impulsions. Versez sur le mélangez le liquide tiède. Mixez pour obtenir une sauce homogène.
Versez-la dans une casserole et faites cuire 5 mn à feu doux en remuant sans arrêt. La sauce ne doit pas bouillir. Salez et poivrez.

SAUCE BATARDE ○ △ □

Ajoutez à la sauce blanche, 2 jaunes d'œufs délayés dans du bouillon, une cuillère à soupe de jus de citron, 50 g de beurre. Remuez bien. Servez chaud.

SAUCE BÉCHAMEL ○ △ □

- 30 g de beurre
- 30 g de farine
- 1/2 l de lait tiède
- sel, poivre
- facultatif : muscade ou cayenne

Procédez comme pour la sauce blanche mais en remplaçant l'eau ou le court-bouillon par le lait.

SAUCE AURORE ○ △ □

Ajoutez à la béchamel, 2 cuillères à soupe de concentré de tomates, remuez bien et laissez cuire 5 mn.

SAUCE MORNAY ○ △ □

Ajoutez à la béchamel, 50 g de gruyère râpé, remuez soigneusement, sur feu doux pendant quelques minutes pour faire fondre le fromage.

SAUCE AU RAIFORT ○ △ □

5 mn avant la fin de la cuisson de la béchamel, ajoutez 1/2 verre de vin blanc sec et une cuillère à soupe de raifort râpé. Remuez à la spatule.

SAUCE SOUBISE ○ △ □

Ajoutez à la béchamel un hachis de 250 g d'oignons fait au mixer et étuvé pendant 10 mn dans un peu de beurre.
Faites mijoter béchamel et hachis pendant quelques minutes avant de servir.

LES SAUCES A BASE DE LÉGUMES

CHUTNEY DE TOMATES   △ □

Bon marché
Préparation et
macération : 2 h

POUR 6 PERSONNES :

- 6 tomates mûres à point
- 3 oignons moyens
- 1 citron
- 1 cuill. à soupe
de sucre roux
- 1 petit morceau de
racine de gingembre
(ou gingembre en poudre)
- 4 gouttes de tabasco
- 1/2 cuill. à café de sel

Épluchez les tomates, après les avoir plongées rapidement dans de l'eau bouillante. Pressez-les à la main, par moitié, pour éliminer les graines.
Dans le bol du mixer, hachez très finement d'abord les oignons épluchés et coupés en morceaux puis la pulpe des tomates. Vous devez obtenir un coulis très fin.
Ajoutez alors le jus de citron, le sucre, le sel, le gingembre râpé et enfin le tabasco. Goûtez pour rectifier l'assaisonnement et mettez au frais pendant au moins deux heures avant de servir.
C'est un très bon accompagnement pour les œufs, la viande ou le poisson.

COULIS MOUSSE DE TOMATES FRAICHES   △ □

Bon marché

POUR 6 A 8 PERSONNES :

- 1 kg 500 à 2 kg de tomates
mûres mais fermes
- 30 g de beurre ou
2 cuill. à soupe d'huile
- 2 gousses d'ail
- bouquet garni
avec une branche d'estragon
- sel, poivre
- 3 jaunes d'œufs
- 1 cuill. à soupe pleine de
fécule de pommes de terre
ou de Maïzena

Coupez les tomates en 8 et pressez-les à la main pour les vider de leurs pépins et de tout leur jus. Faites-les sauter à la poêle avec le beurre ou l'huile, les gousses d'ail coupées, le bouquet garni, sel et poivre. Laissez cuire à feu assez vif 10 mn sans couvrir. Mélangez souvent pour ne pas laisser attacher.
Otez le bouquet garni du coulis. Versez-le, bouillant, dans le bocal du mixer. Couvrez. Mixez pendant quelques secondes. Incorporez ensuite, et un par un, les jaunes d'œufs, sans cesser de mixer puis la fécule ou la Maïzena. Vous devez obtenir un coulis fluide mais pas trop liquide.
Versez cette sauce délicieuse dans une saucière chaude. Présentez-la aussitôt avec des filets de poisson, des queues de langoustines pochées, des moules décoquillées ou encore avec des œufs durs ou pochés.

COULIS DE TOMATES   △ □

Bon marché

- 1 kg de tomates
- 1 oignon
- 2 gousses d'ail
- 1 bouquet garni
(thym, laurier, persil)
- 1 branche de céleri
- sel, poivre

Ébouillantez les tomates pour enlever facilement la peau. Coupez-les par moitié, pressez pour retirer les graines.
Avec le coupe et râpe-légumes, émincez l'oignon et l'ail.
Faites cuire dans une casserole, pendant 20 à 25 mn, les tomates, l'oignon et l'ail émincés, le céleri détaillé en petits morceaux, le bouquet garni, salez et poivrez.
Ce coulis est cuit quand le liquide est évaporé.
Passez alors au mixer.

Note :
Vous pouvez congeler ce coulis dans des barquettes. Au moment de vous en servir, il faut le mettre sur feu doux puis ajouter du beurre ou de l'huile d'olive selon le goût.

SAUCE DUXELLE △ □

Bon marché
Préparation : 2 mn
Cuisson : 8 mn

- **4 échalotes**
- **150 g de champignons**
- **le jus d'un demi citron**
- **30 g de beurre**

Épluchez les échalotes, coupez-les en morceaux avant de les mettre dans le bol du mixer. Mixez quelques secondes pour les hacher sans les réduire en purée. Faites-les fondre à feu très doux dans le beurre.
Lavez les champignons avant de les mixer quelques secondes avec le jus de citron, pour obtenir un hachis. Ajoutez-les à la réduction d'échalotes et mélangez à feu doux. Retirez du feu quand il ne reste plus de liquide.

SAUCE AU FROMAGE, AU BASILIC ET A L'AIL △ □
(« Pesto » italien)

Raisonnable

Pour 1 tasse 1/2

- **2 tasses de feuilles de basilic sans tiges**
- **1 cuill. à café de sel**
- **1/2 cuill. à café de poivre noir du moulin**
- **1 ou 2 gousses d'ail**
- **2 cuill. à soupe de pignons ou de noix pilés**
- **huile d'olive**
- **80 g de parmesan**

Mettez ensemble dans le bol du mixer le basilic frais haché (à défaut, on peut remplacer le basilic par la même quantité de persil plat, grossièrement haché et 2 cuillères à soupe de basilic séché), le sel, le poivre, l'ail, les pignons ou les noix ainsi que 350 g d'huile d'olive.
Mélangez, en arrêtant toutes les 5 à 6 secondes, pour enfoncer les herbes dans l'appareil à l'aide d'une spatule en caoutchouc.
Servez cette sauce, pesto en italien, avec des pâtes fraîchement cuites, égouttées et beurrées au préalable. Vous pouvez allonger la sauce en lui ajoutant une cuillère ou deux d'eau de cuisson des pâtes.

SAUCE MIREPOIX △ □

Bon marché
Préparation : 6 mn
Cuisson : 10 mn

- **150 g de carottes**
- **100 g d'oignons**
- **50 g de céleri rave**
- **laurier et thym**
- **30 g de beurre**

Épluchez et essuyez tous les légumes. Coupez les morceaux dans le bol du mixer. Hachez le tout finement par impulsions. Mettez ce hachis à revenir à feu doux dans le beurre, avec laurier et thym.
La Mirepoix s'utilise avec tous les roux pour les viandes ou les poissons.

SAUCE A L'OSEILLE △ □

Raisonnable

- **100 g d'oseille**
- **50 g de crème fraîche**
- **2 œufs**
- **sel, poivre**
- **pointe de Cayenne**
- **vinaigre**

Lavez et égouttez l'oseille. Faites-la cuire dans la crème fraîche salée pendant 4 à 5 mn.
Faites cuire les œufs 3 mn à l'eau bouillante pour qu'ils restent mollets. Plongez-les dans l'eau froide, et épluchez-les délicatement.
Dans le bol du mixer, mettez les œufs, l'oseille et la crème de cuisson, salez, poivrez et ajoutez une pointe de Cayenne.
Mixez le tout pour obtenir une sauce lisse. Servez-la froide, avec du poisson poché, des queues de langoustines, du crabe ou du saumon.

SAUCE A LA PURÉE DE LÉGUMES ET AU VIN △ □

Cher

- 1 demi bouteille
de Côtes de Beaune
- 100 g de carottes
- 1 échalote
- 70 g de beurre
- sel et poivre

Épluchez les carottes et faites-les cuire à l'eau bouillante salée. Dès qu'elles sont cuites, passez-les au mixer pour les réduire en purée fine. Réservez.

Versez le vin dans un casserole, attendez l'ébullition, faites flamber pour que l'alcool s'évapore. Ajoutez l'échalote hachée et laissez réduire de moitié. Mélangez sur le feu, à la réduction obtenue, la purée de carottes, en remuant bien. Hors du feu, ajoutez le beurre en petits morceaux, et fouettez à la main quelques instants pour bien répartir le beurre.

Note :
Accompagne les poissons et les viandes blanches.

SAUCE A LA TOMATE ET A L'AIL △ □

Bon marché

Pour 3/4 l

- 3 cuill. à soupe huile olive
- 2 oignons hachés fins
- 2 ou 3 gousses d'ail
- 4 tomates hachées gros
- 1 grosse boîte de concentré de tomates
- 1 cuill. à soupe de marjolaine séchée
- 1 cuill. à soupe de basilic frais ou 1 cuill. à café de basilic séché
- 1 feuille de laurier
- 2 cuill. à café de sucre
- 1 cuill. à soupe de sel
- poivre noir du moulin

Chauffez l'huile d'olive dans une casserole, jetez-y les oignons hachés et faites-les revenir pendant 7 à 8 minutes, à feu doux, en remuant.

Quand ils seront devenus transparents, mais avant qu'ils commencent à brunir, ajoutez-y l'ail haché et laissez cuire encore 1 à 2 mn, sans cesser de remuer.

Ajoutez ensuite les tomates grossièrement hachées, avec le jus qu'elles ont rendu, le concentré de tomate, la marjolaine, le basilic, la feuille de laurier, le sucre, le sel et une pincée de poivre noir.

Portez à ébullition, baissez le feu au minimum, laissez mijoter sans mettre le couvercle, en remuant de temps en temps, pendant une demi-heure.

Retirez la feuille de laurier et versez le contenu de la casserole dans le bocal du mixer. Mixez juste le temps nécessaire pour obtenir une sauce lisse mais qui doit rester épaisse. Cette sauce accompagne des spaghetti, des ravioli et d'autres pâtes.

SAUCE TOMATE △ □

Bon marché

Pour 1 litre environ :

- 1 kg 500 de tomates à parfaite maturité
- 1/2 cuill. à soupe de gros sel
- 150 g de sucre en poudre
- 1/2 cuill. à café de paprika
- 1 pointe de Cayenne
- 1/2 cuill. à soupe de piment de la Jamaïque (graines)
- 1/4 de l de vinaigre de vin
- 1/2 dl de vinaigre à l'estragon

Lavez et essuyez les tomates, les faire cuire avec le sel pendant 20 mn. A la fin de la cuisson, mixez en purée fine les tomates

A part, mélangez dans le vinaigre de vin 1 cuillère à soupe de sucre, et le piment de la Jamaïque, ou à défaut une cuillère à café de 4 épices. Portez lentement ce mélange à ébullition, puis filtrez-le au chinois garni d'une gaze.

Ajoutez à la purée de tomates ce mélange filtré, le vinaigre à l'estragon, le paprika et une pointe de Cayenne. Faites cuire doucement la purée assaisonnée en remuant fréquemment ; au bout de 30 à 40 mn environ, la sauce tomate a atteint la consistance voulue.

Note :
Vous pouvez congeler cette sauce tomate ou la conserver dans des flacons ébouillantés et séchés, bouchez alors avec des bouchons de liège.

210

LES SAUCES A L'ŒUF CRU

MAYONNAISE AU BATTEUR ○ △ □

Bon marché
Préparation : 5 mn

Pour 1/2 l de mayonnaise :

- 1 jaune d'œuf
- 1 cuill. à soupe de moutarde
- 1/3 de l d'huile environ
- 1 cuill. à soupe de vinaigre
- sel et poivre

Mettez le jaune d'œuf, moutarde, sel et poivre dans le bol. Battez à vitesse la plus lente quelques secondes, avec les fouets.
Puis, sans cesser de battre, versez un peu d'huile. Attendez qu'elle soit bien incorporée pour en ajouter d'autre. Passez graduellement d'une vitesse moyenne à une vitesse rapide, en versant l'huile de plus en plus abondamment.
Mélangez un peu de vinaigre (ou d'eau) à la fin pour ramollir légèrement la mayonnaise et garantir, ainsi, sa bonne tenue.
Variez vos mayonnaises avec les recettes que nous vous proposons : mayonnaise au roquefort, sauce tartare, verte, ailloli, rouille, tyrolienne, mousquetaire.
Note : avec le batteur, le mayonnaise se fait avec le jaune d'œuf seulement. Mais avec le mixer elle se prépare obligatoirement avec l'œuf entier.

Mon avis :
Inutile de stopper le batteur quand vous ajoutez l'huile. Versez-la sans crainte près des fouets afin qu'elles s'amalgame très rapidement.
N'hésitez pas, en cours de préparation, à allonger la mayonnaise avec du vinaigre et de l'eau froide quand elle devient trop ferme.

MAYONNAISE AU MIXER △ □

Bon marché
Préparation : 5 mn

POUR 4 PERSONNES :

- 1 œuf entier
- 1 cuill. à café de moutarde
- 1 verre et demi d'huile
- 1 cuill. à café de vinaigre
- sel, poivre

Cassez l'œuf entier dans le bocal du mixer. Ajoutez 1 cuillère à café de moutarde, sel, poivre. Mixer en impulsions à la vitesse la plus lente 2 ou 3 secondes. Versez de l'huile jusqu'à la hauteur des couteaux. Mixez en impulsions à la vitesse la plus lente, à plusieurs reprises, pour obtenir un mélange mousseux.
Ajoutez un peu d'huile en mixant par impulsions à la vitesse la plus lente, à chaque fois. Quand la mayonnaise est assez ferme, mettez le vinaigre. Mixer une dernière fois. C'est prêt. Elle peut se conserver plusieurs jours au réfrigérateur dans un mini-bocal.

Mon avis :
Il est indispensable de mettre l'œuf entier (jaune et blanc). Avec le jaune seul, la mayonnaise au mixer ne peut pas prendre.
Si la mayonnaise ne prend pas encore, ne vous inquiétez pas. Ajoutez encore une certaine quantité d'huile et vous la verrez devenir rapidement consistante.

MAYONNAISE CHANTILLY

Battez en chantilly 5 cuillères à soupe de crème fraîche **très froide** et 1 cuillère à soupe de lait **très froid**. Ajoutez-la, en mixant, à la mayonnaise terminée.

Et, au gré de votre imagination, vous pouvez ajouter à la recette de base de la mayonnaise : la chair d'un avocat, du jambon cuit, du concombre râpé, des anchois dessalés et réduits en purée, du Ketchup, du paprika, etc.

MAYONNAISE AUX CREVETTES

Ajoutez 100 g de queues de crevettes décortiquées et réduites en purée au mixer.

MAYONNAISE AU CURRY

Une cuillère à café de curry, pour un bol de mayonnaise, ajoutée 5 secondes avant la fin du mixage.

MAYONNAISE AUX ÉCHALOTES

Hachez finement au mixer, 3 échalotes avec 1/2 verre de vin blanc. Faites réduire sur le feu jusqu'à évaporation. Laissez bien refroidir. Ajoutez alors à la mayonnaise.

MAYONNAISE AU ROQUEFORT

Dans la mayonnaise terminée, ajoutez 50 g de Roquefort, 3 cuillères à soupe de fromage blanc, sel, poivre, pincée de cayenne. Mixez pour obtenir une sauce homogène.

MAYONNAISE ROUILLE

Préparez la mayonnaise au mixer en mettant tout de suite tous les ingrédients : 1 œuf entier, 1/4 litre huile d'olive, 2 ou 3 gousses d'ail, 1 piment fort ou 4 pincées de poivre de cayenne, 1 cuillère à café de tomate concentrée.

MAYONNAISE TARTARE

Hachez finement au mixer, 4 cornichons, 1 oignon, 2 cuillères à café de câpres, et des fines herbes aussi variées que possible. Ajoutez ce hachis à la mayonnaise terminée en remuant à la spatule sans mixer.

MAYONNAISE A LA TOMATE

Incorporez à la fin 1 cuillère à soupe de concentré de tomates et 1 pincée de cayenne.

MAYONNAISE VERTE

Ajoutez un hachis très fin, fait au mixer, de persil, cerfeuil, ciboulette et estragon.

LES SAUCES A L'ŒUF CUIT

SAUCE GRIBICHE △ □

Bon marché

- 2 jaunes d'œufs durs froids
- 1 verre d'huile
- 1 cuill. à soupe de vinaigre
- 1 cuill. à soupe de moutarde
- quelques câpres
- 1 ou 2 cornichons
- ciboulette
- sel et poivre

Mixez ensemble, par impulsions, deux jaunes d'œufs cuits et froids, la moutarde et un peu d'huile. Ajoutez progressivement la valeur d'une cuillère à soupe de vinaigre en alternant avec l'huile.
Mixez à nouveau, après avoir ajouté les cornichons grossièrement coupés, les câpres, quelques brins de ciboulette, sel et poivre.

SAUCE A L'ŒUF CUIT ET A L'ESTRAGON △ □

Bon marché

- 1 œuf
- 2 cuill. à soupe d'huile d'olive
- 1 cuill. à café de moutarde forte
- le jus d'un demi citron
- 3 branches d'estragon
- sel et poivre

Faites cuire l'œuf à l'eau bouillante salée pendant 5 mn.
Dans le bol du mixer, mettez l'œuf écaillé, les feuilles d'estragon, la moutarde et le jus de citron. Mixez pour obtenir un mélange homogène. Ajoutez alors progressivement l'huile d'olive. Vous devez obtenir une sauce qui nappe bien la spatule.
Salez et poivrez.
Pour assaisonnez les salades, les avocats, le poisson froid.

SAUCE RÉMOULADE △ □

Bon marché

Mélangez par impulsions, dans le bol du mixer, 1 cuillère à soupe de moutarde, 1 cuillère à soupe d'huile et un œuf entier. Ajoutez, juste à la fin du mixage, l'échalote coupée grossièrement. Mixez quelques secondes.

LES SAUCES A BASE DE VIANDE

SAUCE A LA BOLOGNAISE △ □

Raisonnable

POUR 4 PERSONNES :

- oignons
- carottes
- persil
- 2 branches de céleri
- 100 g de lard maigre frais
- 4 cuill. à soupe d'huile
- 30 g de beurre
- 200 g de steack
- 1 verre de vin rouge
- 1/2 boîte de tomates pelées au naturel
- 1 l de bouillon
- sel, poivre, thym, laurier, basilic

Après les avoir épluchés et lavés, hachez ensemble les oignons, les carottes, le céleri, le persil et les herbes.
Hachez le lard à part, après avoir ôté les couennes. Dans une casserole, faites fondre l'huile et le beurre. Faites blondir le lard haché. Puis ajoutez le hachis de légumes.
Faites cuire 5 minutes en remuant sans cesse.
Hachez le steack et ajoutez-le à la préparation. Salez, poivrez.
Faites cuire 5 minutes sans cesser de remuer. Arrosez avec le vin rouge.
Ajoutez les tomates avec un peu de jus et le bouillon.
Faites cuire 1 h 1/2 sur feu doux, en remuant de temps en temps.

Cette sauce accommode traditionnellement les pâtes et en particulier les lasagnes.
Dans un plat allant au four, vous alternez une couche de lasagnes, de sauce bolognaise, de sauce béchamel, de parmesan râpé, etc. Vous terminez par du parmesan et vous faites gratiner vingt minutes au four.

SAUCE ITALIENNE A LA VIANDE △ □

Cher

Pour 2 tasses et demie environ :

- 250 g de jambon fumé, haché gros
- 2 oignons hachés
- 2 carottes coupées en julienne
- 1 pied de céleri coupé en julienne
- 60 g de beurre
- 2 cuill. à soupe d'huile
- 200 g de bœuf haché menu
- 125 g de porc maigre haché menu
- 1/2 verre de vin blanc
- 1/2 l de bouillon de bœuf
- 2 cuill. à soupe de concentré de tomate
- 250 g de foies de poulet
- 1 pot de crème fraîche
- 1 pincée de noix de muscade râpée
- sel
- poivre noir fraîchement moulu

Hachez assez fin au mixer le jambon, les oignons, les carottes et le céleri. Faites fondre la moitié du beurre à feu doux dans un poêlon.
Dès qu'il a cessé de mousser, ajoutez-y le hachis jambon-légumes et faites cuire, en remuant souvent, 10 mn environ.
Quand le mélange commence à brunir, transvasez-le dans une casserole à fond épais. Chauffez les 2 cuillères à soupe d'huile d'olive dans le même poêlon et mettez-y à dorer le bœuf et le porc hachés, à petit feu, en remuant la viande pour l'empêcher de former des grumeaux. Arrosez-la de vin, augmentez le feu et prolongez la cuisson en remuant jusqu'à l'évaporation du liquide.
Versez-la alors dans la casserole où vous avez réservé le hachis jambon-légumes et versez le bouillon et le concentré de tomate. Portez à ébullition à feu vif puis baissez le feu et laissez mijoter sous couvercle 45 mn, en remuant de temps en temps.
D'autre part, faites fondre le restant de beurre dans le poêlon qui a servi à faire revenir les hachis de bœuf et de porc et, lorsqu'il a cessé de mousser, jetez-y les foies de poulet. Faites-les cuire le temps de dorer, c'est-à-dire environ 3 à 4 minutes. Coupez les foies en petits dés, réservez-les pour les ajouter à la sauce 10 mn avant la fin de la cuisson. Puis incorporez dans la sauce la crème fraîche. Goûtez et assaisonnez de noix de muscade, de sel et de poivre. Servez la sauce avec des pâtes ou avec des lasagnes. Dans ce cas, n'ajoutez pas de crème. **215**

LES ENTREMETS
ET LES PÂTISSERIES

Un dessert, c'est toujours une fête, mais aussi un complément de repas bien utile pour des enfants à l'appétit capricieux. Avec un robot, entremets et pâtisseries se font tout seuls, et leurs coûts n'ont rien de commun avec ceux du commerce. Les recettes qui suivent doivent être considérées comme des recettes de base. Elles doivent permettre l'adaptation facile de toutes les recettes traditionnelles des desserts familiaux.

ARDÉCHOIS

△ □

Raisonnable
Préparation : 20 mn
Cuisson : 15 mn
Froid : 12 h

POUR 6 PERSONNES :

- 1 kg de marrons au naturel
- 125 g de sucre
- 150 g de chocolat à croquer
- 300 g de crème fraîche
- 3 paquets de sucre vanillé
- 75 g de sucre semoule

Faites fondre les 125 g de sucre dans un fond d'eau. Ajoutez le chocolat en morceaux et ramolli, la moitié de la crème fraîche, 2 paquets de sucre vanillé.

Passez le tout au mixer avec la purée de marrons.

Versez dans un moule huilé et saupoudré de sucre. Mettez au frais pendant une demi-journée.

Avec le reste de crème, 45 g de sucre semoule et le dernier sachet de sucre vanillé, faites une crème chantilly pour décorer le gâteau.

BAVAROIS

Raisonnable
Préparation : 30 mn
Cuisson : 15 mn
Froid : 6 h

POUR 6 PERSONNES :

- 6 œufs
- 1/2 l de lait
- 150 g de sucre semoule
+ 100 g pour le sirop
- 1 gousse de vanille
- 250 g de crème fraîche
- 6 feuilles de gélatine
- 2 citrons non traités
- 200 g de sucre
- 2 dl d'eau

Coupez les citrons en tranches fines, jetez-les dans un sirop brûlant, fait avec 100 g de sucre et juste assez d'eau pour le couvrir. Cuisez doucement pendant une heure.

Faites bouillir le lait avec la vanille coupée en deux dans le sens de la longueur. Laissez infuser la vanille.

Séparez les blancs d'œufs des jaunes.

Battez au mixer ou aux fouets les jaunes d'œufs avec le sucre jusqu'à obtenir une crème blanchâtre. Incorporez peu à peu le lait bouillant. Reversez dans la casserole.

Faites cuire à feu doux sans cesser de remuer avec une cuillère en bois, en grattant bien le fond, jusqu'à ce que la crème prenne un peu d'épaisseur et nappe la cuillère. Retirez du feu avant ébullition. Si la crème tourne, repassez-la au mixer.

Faites fondre la gélatine dans un peu d'eau froide.

Mélangez au mixer la crème et la gélatine. Conservez au froid pendant une demi-heure.

Battez au mixer ou aux fouets la crème fraîche en crème chantilly, en y ajoutant deux cuillères à soupe d'eau glacée.

Mélangez la crème, le reste de la préparation et tapissez le fond du moule avec des tranches de citron.

Versez dans un moule et conservez au froid pendant six heures. Servez en tranches avec un coulis.

COMPOTE DE POMMES CRUES

△ □

Bon marché
Préparation : 5 mn
Pas de cuisson

POUR 6 PERSONNES :

Mixer le tout

- 500 g de pommes acidulées
- 2 cuill. à soupe
de jus de citron
- 3 cuill. à soupe
de lait concentré
non sucré
- 150 g de sucre en poudre
- 1 pincée de cannelle

Mixez, jusqu'à ce que le mélange soit onctueux.

Versez la préparation dans des petits ramequins.

CRÈME RENVERSÉE AUX POMMES

△ □

Bon marché
Préparation : 5 mn
Cuisson : 20 mn
Froid : 2 h

POUR 6 PERSONNES :

- 500 g de pommes acidulées
- 150 g de sucre en poudre
- 2 cuill. à soupe
de jus de citron
- 1 dl d'eau
- 1/2 gousse de vanille

- 50 g de sucre en poudre
- 2 œufs
- 75 g de maïzena
- 200 g de crème fraîche

Faites cuire, pendant 20 mn, et mixez le tout si vous n'avez pas épluché les pommes au préalable.

Dans le bol du mixer ou avec les fouets, travaillez les œufs avec le sucre, la maïzena, la crème fraîche, pour préparer la crème renversée.

Versez la compote de pommes dans ce mélange en mélangeant bien. Mettez dans une casserole. Faites cuire à feu doux en remuant sans cesse jusqu'à ce que le mélange devienne épais.

Versez la crème dans un moule à charlotte. Laissez refroidir. Mettez le moule environ 2 heures au réfrigérateur.

Pour démouler, passez un couteau entre la crème et le moule et renversez le moule sur un compotier.

Servez avec de la crème fraîche battue en chantilly avec du sucre vanillé.

Conseil :
Pour bien réussir la crème chantilly, faites refroidir au réfrigérateur la crème et le récipient où elle sera battue. Battez la crème avec un peu d'eau glacée ou un cube de glace.

222

CONFITURES

△ □

Bon marché
Préparation : 10 mn
Cuisson : 20 mn

POUR 4 POTS :

- 1,5 kg de groseilles
- 1 kg de sucre semoule
- 2 verres d'eau

GELÉE DE GROSEILLES

Lavez les groseilles et enlevez les petites tiges. Mixez les fruits. Mettez-les à cuire dans une bassine sur feu doux.

Faites cuire dix minutes environ.

Filtrez le jus obtenu avec une passoire très fine.

Faites un sirop avec 2 verres d'eau et 2 kg de sucre en laissant cuire 4 ou 5 minutes après l'ébullition.

Versez ce sirop bouillant, hors du feu, sur le jus de groseilles en tournant.

Mettez en pots. Couvrez le lendemain.

Préparation : 10 mn
Cuisson : 20 mn

POUR 18 POTS :

- 3 kg de framboises
- 3 kg de sucre semoule

CONFITURES DE FRAMBOISES

Lavez les framboises et passez-les au mixer quelques instants.

Versez la purée obtenue dans une bassine et amenez à ébullition.

Ajoutez le sucre, faites cuire à nouveau jusqu'à ébullition, maintenez-la 5 à 7 mn.

Versez dans les pots. Laissez refroidir et couvrez.

Conseil :
De nombreux fruits peuvent être préparés selon cette recette. Cette purée est une excellente confiture et peut servir à préparer glaces ou sorbets.

CRÈME ANGLAISE

○ △ □

Bon marché
Préparation : 15 mn
Cuisson : 15 mn

POUR 6 PERSONNES :

■ 1 l de lait
■ 1 gousse de vanille
■ 6 jaunes d'œufs
■ 150 g de sucre en poudre

Faites bouillir le lait avec la gousse de vanille fendue en deux et laissez refroidir.

Dans le bocal du mixer ou avec les fouets, mixez les jaunes d'œufs et le sucre en poudre, pour obtenir une crème lisse et blanche. Retirez la vanille du lait et versez-le sur la crème en mixant par impulsions.

Dans la casserole à lait, reversez le mélange obtenu et mettez à feu très doux en remuant sans arrêt.

Évitez l'ébullition. La cuisson est terminée lorsque la mousse a disparu et que la crème nappe la cuillère.

Versez-la aussitôt dans un récipient froid.

La crème anglaise est la recette de base de toutes les glaces. Elle sert aussi à napper les gâteaux, à accompagner les quatre-quarts, les génoises, etc.

CRÈME PATISSIÈRE

○ △ □

Bon marché
Préparation : 10 mn
Cuisson : 10 mn

POUR 6 PERSONNES :

■ 1/2 litre de lait
■ 1 œuf entier
+ 2 jaunes
■ 75 g de sucre
■ 60 g de farine
■ parfum au choix :
vanille, chocolat,
café, rhum, etc.

Dans le bol du mixer ou dans le grand bol équipé des fouets, mettez la farine, le sucre, l'œuf entier et les jaunes. Mixez par impulsions. Versez alors le lait chaud non bouillant en continuant à mélanger par impulsions. Ajoutez presque à la fin du mixage, le parfum choisi.

Quand la crème est homogène, faites-la cuire sur feu doux sans cesser de remuer, pour éviter qu'elle attache. Retirez au premier frémissement et mettez à refroidir.

La crème patissière sert à garnir les fonds de tarte, à fourrer les gâteaux ou les crêpes, ou servie seule en ramequins. Si vous ajoutez à la fin du mixage 1 cuillère à soupe de poudre d'amandes, vous obtiendrez une crème frangipane.

CRÈME DE GOYAVES

△ □

Raisonnable
Préparation : 15 mn
Pas de cuisson

POUR 6 PERSONNES :

- 1 boîte de goyaves de 500 g ou fruits frais
- 1 boîte de lait concentré sucré de 250 g
- 250 g de crème fraîche

Égouttez les goyaves ou épluchez-les. Passez-les au mixer pour obtenir une purée.

Battez au mixer la crème fraîche avec 2 cuillères à soupe d'eau glacée de façon à la rendre mousseuse, sans la monter en chantilly.

Ajoutez à la crème fraîche, la purée de goyaves et le lait concentré. Mélangez avec une cuillère en bois. Laissez au réfrigérateur avant de servir.

Variante :
Cette crème très sucrée peut se faire aussi avec des mangues ou d'autres fruits au sirop égouttés. Servez-la de préférence avec des biscuits.

ENTREMETS DANOIS AUX FRUITS ROUGES

△ □

Raisonnable
Préparation : 30 mn
Cuisson : 10 mn
Froid : 2 h

POUR 6 PERSONNES :

■ 3 paquets de fraises
surgelées non sucrées
ou 750 g de fruits frais
■ 3 paquets de framboises
surgelées non sucrées
ou 750 g de fruits frais
■ 60 g de tapioca
■ 80 g de sucre en poudre
■ 2 citrons
■ 500 g de crème fraîche

Sortez les fruits surgelés de leur emballage et faites-les dégeler un peu.

Passez-les ensuite au mixer. Séparez à la passoire le jus de la pulpe des fruits. Versez le jus dans une casserole et amenez à ébullition. Pour un litre de jus, ajoutez 60 g de tapioca, 80 g de sucre en poudre, le jus de deux citrons.

Faites cuire à feu doux 1/4 d'heure en remuant sans cesse. Versez ensuite la préparation dans un saladier. Faites prendre au réfrigérateur, il faut deux heures au moins.

Au moment de servir, battez ou mixez légèrement la crème fraîche avec 1/2 dl d'eau glacée, mais sans la monter en chantilly.

Chacun se sert de compote de fruits rouges et de crème servie à part.

FLAN AUX ABRICOTS

△ □

Raisonnable
Préparation : 15 mn
Cuisson : 25 mn

POUR 6 PERSONNES :

- 3 œufs
- 250 g de crème fraîche
- 1 cuill. à soupe de farine
- 125 g de sucre
- 12 abricots ou 1 boîte
4/4 d'oreillons d'abricots

Coupez les abricots en deux, enlevez le noyau. Faites-les cuire dix minutes à feu moyen dans une casserole contenant un peu d'eau.

Passez les abricots au mixer. Mettez en réserve dans un saladier.

Mixez ensemble les œufs, la crème, la farine et le sucre. Versez dans un saladier. Ajoutez les abricots. Mélangez bien.

Beurrez un moule. Versez la préparation dedans.

Faites cuire au bain-marie à four moyen (th. 6) pendant 25 mn. Couvrez en cours de cuisson d'un papier d'aluminium, si le dessus fonce trop vite.

Démoulez et servez tiède.

Variante :
Vous pouvez caraméliser le moule avec des sachets de caramel tout prêt avant d'y verser la préparation.

MERINGUES

○ △ □

Bon marché
Préparation : 5 mn
Cuisson : 1 h 30

Pour 15 à 20 meringues :

- 4 blancs d'œufs
- 250 g de sucre glace et de sucre semoule mélangés
- 2 pincées de sel
- 10 g de beurre

Séparez les blancs d'œufs des jaunes. Battez dans le bol du mixer ou aux fouets les blancs en neige très ferme avec le sucre glace et le sel.

Beurrez légèrement la plaque du four. Poudrez-la de farine. Disposez dessus la meringue par cuillerée en les espaçant car elles gonflent en cuisant.

Mettez à four très doux 1 heure et demie au moins. Les meringues bien cuites sont sèches, dures et très légèrement colorées.

Laissez les meringues refroidir complètement sur une grille avant de les servir ou de les ranger pour les conserver.

Servez-les avec de la crème chantilly nature ou au chocolat (en rajoutant délicatement à la crème du chocolat fondu au bain-marie).

MOUSSE A L'ANANAS △ □

Raisonnable
Préparation : 15 mn
Froid : 3 h

POUR 6 PERSONNES :

1 ananas d'1,5 kg

Coupez l'ananas en quatre. Épluchez-le. Otez le cœur et faites des petits dés avec la chair.

Passez la chair de l'ananas au mixer. Versez la purée dans un bac à glaçons et laissez trois heures au réfrigérateur. Remuez tous les trois quarts d'heure.

Servez dans des coupes individuelles.

Vous pouvez aussi incorporer de la crème fouettée avec du sucre glace, à la chair de l'ananas.

MOUSSE A L'ABRICOT △ □

Raisonnable
Préparation : 15 mn
Froid : 3 h

POUR 4 PERSONNES :

- 500 g d'abricots
- 4 œufs
- 40 g de sucre glace
- 200 g de sucre en poudre
- 1 cuill. à café de jus de citron

Passez au mixer les abricots dénoyautés, coupés en deux avec le jus de citron et le sucre glace pour obtenir une fine purée.

Séparez les blancs d'œufs des jaunes. Ajoutez le sucre en poudre aux jaunes d'œufs et mixez pour obtenir une crème blanche.

Versez sur la purée d'abricots. Mélangez.

Montez les blancs en neige très ferme. Mélangez très doucement avec une spatule à la préparation.

Versez dans un moule et placez au freezer quelques heures.

MOUSSE A L'ORANGE

○ △ □

Bon marché
Préparation : 15 mn
Froid : 3 h

POUR 6 PERSONNES :

- 1/4 de l de jus d'orange
- 1 zeste d'orange non traitée
- 100 g de sucre en poudre
- 25 g de farine
- 3 œufs

Séparez les blancs d'œufs des jaunes.

Dans une casserole, mélangez la farine, les jaunes d'œufs, la moitié du sucre, le zeste d'orange râpé, le jus d'orange.

Amenez doucement à ébullition sans cesser de remuer. Laissez épaissir la crème jusqu'à ce qu'elle nappe la cuillère.

Laissez refroidir en remuant de temps en temps.

Avec le mixer ou les fouets, battez les blancs en neige ferme avec le reste du sucre.

Mélangez doucement avec une cuillère en bois à la préparation refroidie. Soulevez la masse par en-dessous pour ne pas casser les blancs.

Mettez 3 heures au réfrigérateur avant de servir.

Variantes :
La mousse à l'ananas peut se préparer de la même manière que la mousse à l'orange.

Les mousses de fruits peuvent se préparer selon les quatre types de recettes présentées.

MOUSSE AU CITRON

△ □

Bon marché
Préparation : 10 mn
Pas de cuisson

POUR 4 PERSONNES :

- 1 boîte de lait condensé non sucré
- 2 citrons
- 1 zeste de citron non traité
- 6 cuill. à soupe de sucre

Mettez la boîte de lait condensé dans le réfrigérateur pendant 24 heures.

Le jour même, versez le lait dans le bocal du mixer. Ajoutez le jus de 2 citrons, le sucre, et le zeste de citron râpé.

Mixez par impulsions jusqu'à ce que vous obteniez une mousse onctueuse.

Servez-la immédiatement avec des sablés.

MOUSSE AU CHOCOLAT

○ △ □

Bon marché
Préparation : 10 mn
Cuisson : 2 mn

POUR 6 PERSONNES :

- 250 g de chocolat à croquer
- 200 g de sucre en poudre
- 200 g de beurre
- 4 œufs

Dans une casserole, mettez le sucre en le recouvrant juste d'eau et faites fondre sur le feu en l'amenant à ébullition.

Hors du feu, ajoutez le chocolat cassé en morceaux et mélangez bien.

Séparez les blancs d'œufs des jaunes.

Ajoutez dans la casserole du chocolat, les jaunes d'œufs et le beurre ramolli en morceaux. Mélangez bien. Le mélange doit être en pommade.

Au mixer ou avec les fouets battez les blancs en neige très ferme avec un peu de sucre en poudre. Incorporez-les très délicatement au reste de la préparation.

Laissez une nuit au réfrigérateur avant de servir.

Variante :
Faites une mousse aux marrons avec 1 kg de crème de marrons, 250 g de sucre en poudre, 2 verres à liqueur de rhum, 200 g de beurre, 300 g de crème fraîche.

Procédez comme pour la mousse au chocolat, la crème fraîche battue en chantilly remplaçant les blancs d'œufs en neige.

ŒUFS A LA NEIGE

○ △ □

Bon marché
Préparation : 20 mn
Cuisson : 20 mn

POUR 6 PERSONNES :

- 6 blancs d'œufs
- 150 g de sucre semoule
- crème anglaise avec
1/2 l de lait
(recette p. 226)

Mettez deux litres d'eau à chauffer dans une casserole. Réglez le feu pour maintenir l'eau à une température régulière.

Séparez les blancs d'œufs des jaunes. Montez-les en neige très ferme, ajoutez le sucre et continuez à battre ensemble.

A l'aide d'une cuillère à soupe, prélevez des blancs et pochez-les 7 mn, dans l'eau, sans que celle-ci ne frémisse. Retournez-les et laissez-les 3 mn de l'autre côté. Égouttez-les sur un linge propre. Pochez les blancs en plusieurs fois en évitant qu'ils ne se touchent, ils gonflent en cuisant.

Pendant la cuisson des blancs, préparez la crème anglaise (recette page 226). Lorsque les blancs sont cuits et égouttés, disposez-les sur la crème anglaise froide.

POMMES MERINGUÉES

○ △ □

Bon marché
Préparation : 20 mn
Cuisson : 15 mn
Macération : 2 h

POUR 6 PERSONNES :

- 6 pommes Golden
- 6 blancs d'œufs
- 250 g de sucre en poudre
- 1 l d'eau
- Calvados (facultatif)

Préparez un sirop en faisant fondre sur le feu 200 g de sucre dans le litre d'eau. Laissez bouillir doucement dix minutes.

Coupez les pommes en deux dans le sens horizontal. Otez les pépins. Mettez-les à macérer deux heures dans le sirop parfumé ou non au Calvados.

Évidez les pommes à l'aide d'une petite cuillère. Passez la chair au mixer avec 50 g de sucre.

Séparez les blancs d'œufs des jaunes. Montez-les au mixer ou aux fouets en neige très ferme. Mélangez très doucement avec une spatule à la purée de pommes.

Remplissez les pommes avec ce mélange. Avec une poche à douille cannelée, vous obtiendrez un joli effet décoratif.

Mettez à four moyen (th. 5) pendant 1/4 d'heure.

Servez chaud.

POMMES DE TERRE PATISSIÈRES

○ △ □

Raisonnable
Préparation : 20 mn
2 h à l'avance
Pas de cuisson

POUR 6 GÂTEAUX :

- 12 biscuits
à la cuillère
- 150 g de sucre semoule
- 3 cuill. à soupe
de marmelade d'orange
- 150 g d'amandes
en poudre
- 2 œufs
- 1 cuill. à soupe de rhum
- 100 g de pignons

Séparez les blancs d'œufs des jaunes. Battez au mixer ou aux fouets les blancs en neige très ferme avec la moitié du sucre en poudre.

Passez au mixer les biscuits, le sucre en poudre restant, les amandes, la confiture, le rhum.

Versez cette préparation sur les blancs en neige et mélangez très délicatement avec une cuillère en bois, mettez au réfrigérateur pendant 2 heures.

Façonnez la pâte en cylindres. Roulez chaque pomme de terre dans du cacao et piquez-la avec des pignons figurant les yeux des pommes de terre.

SORBET BANANE

○ △ □

Raisonnable
Préparation : 25 mn
Froid : 3 h

POUR 4 PERSONNES :

- 3 bananes
- 1/2 citron
- 2 œufs
- 100 g de sucre glace

Épluchez le citron et les bananes.

Séparez les blancs d'œufs des jaunes. Montez-les en neige au mixer ou aux fouets avec la moitié du sucre glace.

Versez-les dans une casserole au bain-marie. Mélangez sans cesse jusqu'à ce que la préparation durcisse.

Passez au mixer les bananes, le citron, le reste du sucre. Dès que la purée est lisse, ajoutez les blancs d'œufs. Mélangez au mixer.

Versez dans un moule et mettez au freezer 3 heures ou dans une sorbetière une heure.

Servez avec un coulis de fruits, de pêches par exemple : 1 kg de pêches - 1 pincée de cannelle - 1/2 jus de citron - 20 g de sucre semoule.

Pelez les pêches et enlevez les noyaux. Mixez les pêches et le jus de citron, le sucre et la cannelle... ou un coulis de fruits mélangés : citron - pommes - oranges avec du sucre semoule.

SOUFFLÉ GLACÉ AUX FRAISES

○ △ □

Cher
Préparation : 20 mn
Froid : une nuit

POUR 4 PERSONNES :

- 500 g de sucre en poudre
- 8 blancs d'œufs
- 750 g de crème fraîche
- 1 kg de fraises

Passez les fraises équeutées et lavées au mixer pour obtenir une purée très fine.

Dans une casserole, versez le sucre et recouvrez-le tout juste d'eau. Amenez-le à ébullition. Faites cuire quelques secondes.

Séparez les blancs d'œufs des jaunes et battez au mixer ou aux fouets les blancs en neige très ferme. Versez sur les blancs le sirop de sucre bouillant en continuant à battre les blancs. Battez jusqu'à complet refroidissement.

Battez au mixer ou aux fouets la crème fraîche avec 3 cuillères à soupe d'eau glacée jusqu'à ce qu'elle devienne mousseuse. Mélangez la chantilly très doucement aux blancs en neige. Ajoutez la purée de fraises.

Beurrez les parois d'un moule à soufflé. Autour du moule, à l'extérieur, fixez avec du ruban adhésif une bande de papier sulfurisé qui dépasse le moule.

Remplissez le moule. Mettez une nuit au congélateur. Servez décoré de quelques fraises.

Variante :
Pour le soufflé au chocolat, remplacez les fruits par 40 g de cacao et les blancs d'œufs par les jaunes. Versez le sirop bouillant sur les jaunes d'œufs comme pour faire monter une mayonnaise.

SOUFFLÉ CHAUD A LA VANILLE

○ △ □

Bon marché
Préparation : 20 mn
Cuisson : 30 mn

POUR 4 PERSONNES :

- 1/4 de l de lait
- 80 g de sucre en poudre
- 45 g de farine
- 20 g de beurre
- 4 œufs

Faites bouillir le lait, après en avoir prélevé 4 cuillères à soupe, avec une gousse de vanille fendue dans le sens de la longueur.
Au mixer, mélangez le sucre, la farine et les 4 cuillères de lait. Ajoutez peu à peu le lait bouillant. Mélangez. Reversez le tout dans la casserole en continuant de remuer. Laissez bouillir deux minutes et retirez du feu.

Incorporez le beurre, couvrez et laissez refroidir 1/4 d'heure.

Séparez les blancs d'œufs des jaunes. Ajoutez les jaunes d'œufs au mélange.

Montez les blancs en neige au mixer ou aux fouets en ajoutant 20 g de sucre en poudre. Versez la préparation sur les blancs. Mélangez délicatement avec une cuillère en bois. Versez dans un moule beurré et saupoudré de sucre.

Faites cuire à four moyen (th. 5) trente minutes.

Pour savoir si le soufflé est cuit, plongez la lame d'un couteau dans la préparation, il doit ressortir sec si le soufflé est cuit.

Un soufflé se sert dès sa sortie du four, sans attendre.

TRUFFES AU CHOCOLAT

△ □

Raisonnable
Préparation : 15 mn
Froid : 4 h

**POUR 300 G DE TRUFFES
ENVIRON :**

- 250 g de chocolat
noir surfin
- 1 cuill. à soupe
de café moulu
- 2 cuill. à soupe
de crème fraîche
- 2 jaunes d'œufs
- 75 g de beurre
- 1 tasse à thé de cacao

Coupez le chocolat en morceaux et passez-le au mixer.

Mettez le chocolat dans une casserole avec le café et 1 cuillère à soupe de crème fraîche. Faites fondre au bain-marie.

Séparez les blancs d'œufs des jaunes.

Passez au mixer la pâte obtenue, le beurre, les jaunes d'œufs, le reste de crème fraîche. Versez dans un bol et laissez refroidir 4 heures au réfrigérateur.

Formez des truffes avec la pâte et roulez-les dans le cacao.

BASE :
PÂTE A BEIGNETS OU PÂTE A FRIRE ○ △ □

Bon marché
Préparation : 10 mn

Pour 18 à 20 beignets :

- 150 g de farine
- 1 œuf entier
+ 2 blancs
- 1 cuill. à soupe d'huile
- 1/2 cuill. à café de sel
- 1 verre de lait
ou de bière
- parfum au choix :
zeste de citron,
quelques gouttes d'eau
de fleur d'oranger,
1 cuill. à soupe de rhum

Dans le bol du mixer, ou dans le grand bol du batteur équipé des fouets, mettez la farine, le sel, l'huile et 1/3 du verre de liquide. Mixez par impulsions. Puis ajoutez progressivement le reste de liquide en continuant de mixer.

Ajoutez à la fin le parfum choisi. La pâte doit être bien lisse, mais pas coulante. Laissez reposer une heure au minimum.

Juste avant l'utilisation, battez les blancs en neige avec le mixer ou les fouets et incorporez-les délicatement avec une fourchette à la pâte à beignets.

BEIGNETS AUX POMMES △ □

- 500 g de pommes
- bain de friture
- sucre en poudre

Pendant que la pâte repose, épluchez les pommes, émincez-les avec le disque éminceur, faites-les macérer avec du sucre et un peu de rhum.

Enrobez chaque morceau de pomme égoutté de pâte à beignets.

Plongez-les dans la friture chaude (175°), sans en mettre trop pour qu'il soit facile de les retourner avec l'écumoire pour les faire dorer de tous côtés.

Égouttez-les soigneusement sur du papier absorbant, et saupoudrez-les de sucre avant de les servir chauds.

BASE : PÂTE BRISÉE   ○ △ □

Bon marché
Préparation : 5 mn
Cuisson : 30 mn

**Pour une tarte de
25 cm de diamètre :**

- 200 g de farine
- 100 g de beurre
- 1/2 cuill. à café
de sel fin
- 1 cuill. à dessert
d'huile
- 1/2 verre d'eau
- 1 ou 2 cuill. à soupe
de sucre selon le goût,
et pour les recettes
sucrées seulement

Versez la farine dans le bol du mixer ou dans le grand bol du robot équipé des crochets à pétrir. Ajoutez le beurre découpé en petits morceaux, le sel (le sucre si nécessaire) et l'huile.

Travaillez par impulsions pour bien mélanger, puis ajoutez l'eau. Mélangez à nouveau par impulsions jusqu'à ce que vous obteniez une boule de pâte lisse et ferme, ajoutez enfin une cuillère à soupe rase de farine, mixez en 2 impulsions, la pâte se décollera beaucoup mieux.

Roulez-la dans la farine sans pétrir et laissez reposer 1/2 heure si vous en avez le temps, mais ce n'est pas indispensable.

Étalez la pâte avec la paume de la main, pliez-la en quatre. Farinez la planche et le rouleau, avant d'étendre la pâte pour en garnir le moule. Faites-la adhérer aux bords cannelés du moule et enlevez l'excédent de pâte. Faites cuire à four chaud (8/9) pendant 30 mn environ.

TARTE AU CITRON MERINGUÉE   ○ △ □

Raisonnable
Préparation : 25 mn
Cuisson : 30 mn

- 250 g de sucre
- 150 g de beurre
- 3 œufs
+ 2 blancs
- 2 citrons non traités
- 100 g d'amandes en poudre
- 1 pincée de sel

Préparez votre pâte brisée selon la recette de base (ci-dessus).

Crème au citron :
Dans le bol du mixer ou avec le batteur équipé des fouets, mixez trois œufs entiers, le sucre, les zestes des 2 citrons, préalablement coupés en petits morceaux et le jus d'un citron. Quand le mélange devient homogène, ajoutez le beurre très mou (ou mieux fondu), le second jus de citron, si vous voulez accentuer le parfum, et enfin la poudre d'amandes. Mixez à nouveau quelques secondes.

Garnissez le moule avec la pâte, et versez-y la préparation.

Faites cuire à four chaud (th. 8/9) 30 mn.

Meringue :
Quelques minutes avant la fin de la cuisson, battez deux blancs d'œufs en neige ferme avec 100 g de sucre et une pincée de sel, dans le bocal du mixer ou avec les fouets.

Hors du four, couvrez-en la tarte avec une poche à douille, ou avec une cuillère. Remettez à four doux, 5 mn environ, pour faire blondir la meringue.

BASE : PÂTE A CHOUX △ □

Bon marché

Préparation : 10 mn
Cuisson : 20 mn
Pour 18 choux :

- 150 g de farine
- 75 g de beurre
- 1 pincée de sel
- 1/4 de l d'eau
- 4 œufs
- (+ 1 cuill. à soupe de sucre pour les choux sucrés)

Dans une casserole, mettez l'eau, le beurre coupé en morceaux, le sel et éventuellement le sucre. Dès que l'ébullition commence, versez la farine d'un seul coup et mélangez immédiatement avec une cuillère en bois.

Quand la pâte se détache des parois de la casserole (il faut de 10 à 20 secondes), retirez du feu.

Placez la boule dans le bocal du mixer ou dans le grand bol équipé des crochets et ajoutez les œufs un par un en mixant par impulsions entre chaque œuf, en mixant un peu plus longtemps pour le dernier œuf pour bien sécher la pâte.

Formez les choux à l'aide de 2 cuillères à soupe ou d'une poche à douille, et faites-les cuire sur la plaque à pâtisserie, légèrement beurrée, à four moyen (th. 5/6) pendant 15 à 20 mn.

Variante :
Faites chauffer l'eau, le beurre, le sel ou le sucre. Dans le bol du mixer, versez la farine et dès que l'ébullition commence, enlevez du feu et laissez refroidir quelques minutes. Versez le mélange progressivement dans le bol, sur la farine. Mixez par impulsions jusqu'au moment où la pâte se met en boule. Ajoutez alors, un par un, les œufs entiers en mixant entre chaque œuf.

La pâte à choux sucrée permet de réaliser des choux surprises, fourrés de crème chantilly, ou de crème au chocolat, ou crème patissière. Vous pouvez aussi faire un gâteau de choux superposés comme dans les pièces montées, en nappant les choux d'une sauce caramel faite avec les proportions suivantes : 3 cuillères à soupe d'eau, 100 g de sucre, une cuillère à café de vinaigre ou un filet de citron.

BASE : PÂTE A CRÊPES

Bon marché
Préparation : 5 mn
Repos : 1 h

Pâte à crêpes au batteur

Pour 15 à 20
crêpes fines :

- 250 g de farine
- 1/2 l de lait ou
1/4 lait + 1/4 eau
- 4 œufs
- 1 cuill. à café
rase de sel
- 1 cuill. à soupe d'huile

Pâte à crêpes au mixer

- 250 g de farine
- 1/2 l de lait
(ou 1/4 lait et 1/4 eau)
- 2 œufs
- 1 cuill. à soupe d'huile
- 1 pincée de sel

Dans le grand bol du batteur équipé des fouets, mettez la farine, les œufs entiers et le sel. Battez pour obtenir une pâte lisse.

Ajoutez ensuite le liquide doucement, sans arrêtez l'appareil.

Continuez à mixer jusqu'à ce que le mélange soit homogène et aussi fluide que du lait condensé. Laissez reposer au réfrigérateur 1 heure au moins (et même jusqu'au lendemain), vous obtiendrez ainsi des crêpes qui n'attachent pas à la cuisson.

Versez dans le bol à mixer la farine, les œufs, l'huile, le sel et le lait. Mixez par impulsions pour obtenir une pâte homogène. Laissez reposer 1 heure.

Servez les crêpes nature, saupoudrées de sucre, ou fourrées de confiture, de crème patissière, de crème au chocolat, d'un mélange de miel et de noix, etc.

BASE : PÂTE SABLÉE △ □

Bon marché
Préparation : 5 mn
Repos : 1 h

Pour une tarte de
25 à 30 cm de diamètre :

- 200 g de farine
- 100 g de beurre mou
- 1 pincée de sel
- 1 œuf entier
- 100 g de sucre
- zeste de citron
- vanille ou rhum
(facultatif)

Pâte sablée rapide

- 200 g de farine
- 160 g de beurre froid
- 1/2 cuill. à café de sel
- 1 cuill. à café de sucre

Dans le bol du mixer, ou dans le bol du robot équipé des crochets à pétrir, versez la farine, le sucre, le sel et le beurre mou coupé en dés.

Mélangez par impulsions en ramenant au besoin la farine au centre du bol, à l'aide de la spatule en caoutchouc. Quand le mélange ressemble à du sable, ajoutez l'œuf entier. Mélangez à nouveau, par impulsions, arrêtez quand la pâte durcit. Ajoutez une cuillère rase de farine, mixez quelques secondes, la pâte se détachera mieux du bol.

A la main, pétrissez-la rapidement pour la mettre en boule, et laissez-la reposer un moment au réfrigérateur avant de l'utiliser.

Variantes :
Versez dans le bol la farine, le sel, le sucre. Mélangez quelques instants.

Ajoutez le beurre fractionné par la goulotte. Mixez jusqu'à ce que l'ensemble forme une boule (l'opération doit être rapide). Laissez la pâte reposer au moins 1/2 heure au frais.

La pâte sablée s'utilise pour faire des petits gâteaux secs, friables sous la dent, qui accompagnent très bien tous les entremets, les glaces, les sorbets. Ils se conservent très bien dans une boîte métallique bien close. La pâte sablée est recommandée en particulier pour les tartes aux fraises, ou aux framboises, que vous napperez au moment de servir de crème chantilly.

Conseil :
Laissez bien refroidir avant de démouler car la pâte sablée est très friable.

BISCUIT DE SAVOIE

○ △ □

Bon marché
Préparation : 10 mn
Cuisson : 40 mn environ

Pour un moule
à manqué de 24 cm :

- 4 œufs
- 150 g de sucre semoule
- 1 pincée de sel fin
- 60 g de farine
- 40 g de fécule
de pommes de terre
- parfum facultatif :
eau de fleur d'oranger,
zeste de citron,
sucre vanillé, etc.

Cassez les œufs en réservant les blancs. Dans le bol du mixer ou dans le grand bol du robot équipé des fouets, mélangez les jaunes d'œufs avec le sucre et le sel, le temps nécessaire pour obtenir une mousse onctueuse et claire.

Ajoutez alors la farine et la fécule, mixez par impulsions. Versez la pâte obtenue dans le moule bien beurré et saupoudré légèrement de farine (le biscuit se démoulera mieux).

Avec le mixer ou avec les fouets, montez les blancs en neige et incorporez-les , à la fourchette , délicatement à la pâte.

Dès que le mélange est homogène, enfournez à four doux (th. 5). Au bout de 30 mn, vérifiez la cuisson, en plongeant au centre une lame, ou une aiguille, qui doit ressortir sèche.

Démoulez aussitôt et laissez refroidir.

Conseil :
Le biscuit de savoie est un gâteau léger, moelleux, que vous pouvez servir nappé d'une crème légère, ou en accompagnement d'entremets ou de salade de fruits.

BISCUITS TUNISIENS AUX AMANDES ET A LA FLEUR D'ORANGER

○ △ □

Raisonnable
Préparation : 20 mn
Cuisson : 20 mn (th. 5/6)

POUR 6 PERSONNES :

■ 1 verre d'amandes blanches
■ 3 œufs
■ 1 verre de chapelure

Sirop :

■ 3 verres d'eau
■ 2 verres de sucre
■ 1/2 verre d'eau de fleur d'oranger

Faites griller les amandes émondées. Gardez-en quelques-unes entières pour la décoration. Hachez le reste.

Séparez les jaunes d'œufs des blancs. Mixez les jaunes avec le sucre, pour obtenir un mélange blanc et qui augmente de volume. Ajoutez alors les amandes grillées et hachées, et la chapelure.

Battez les blancs en neige ferme dans le mixer ou avec les fouets. Incorporez délicatement au mélange.

Garnissez de papier sulfurisé huilé le fond d'un moule rectangulaire. Versez la pâte (2 cm de haut environ). Faites cuire à four modéré 20 mn. La pâte doit être moelleuse.

Pendant la cuisson, préparez le sirop : faites bouillir 4 à 5 mn l'eau et le sucre. Retirez du feu. Ajoutez l'eau de fleur d'oranger. Démoulez le gâteau. Arrosez-le lentement avec le sirop : tout doit être absorbé.

Laissez-le refroidir et coupez en losanges. Décorez d'une amande.

BRIOCHE PICARDE

○ △ □

Bon marché
Préparation : 5 mn
Levée : 1 heure
Cuisson : 30 mn (th. 6)

POUR 6 PERSONNES :

- 200 g de farine
- 2 œufs moyens
- 20 g de sucre semoule
- 1 cuill. à soupe de lait
- 125 g de beurre
- 10 g de levure
de boulanger ou
de levure de bière
- 1 pincée de sel fin

Délayez la levure dans le lait tiède.

Dans le bol du mixer, ou avec le batteur équipé des crochets, mixez ensemble la farine, le sucre, le sel, la levure délayée, les œufs et le beurre coupé en morceaux.

Vous devez obtenir une pâte fluide et homogène qui forme un ruban de la largeur d'une spatule.

Versez la pâte dans un moule cannelé beurré et fariné et laissez lever au tiède, pendant 1 heure.

Faites cuire à four chaud (th. 6) pendant 30 mn.

CAKE AUX FRUITS CONFITS

○△□

Raisonnable
Préparation : 10 mn
Cuisson : 1 h 15

POUR UN MOULE A CAKE DE 8 PERSONNES :

- 3 œufs
- 125 g de sucre semoule
- 125 g de beurre très mou
- 200 g de farine
- 100 g de fruits confits
- 100 g de raisins secs
- 1 cuill. à soupe de rhum
- 1/2 paquet de levure chimique
- 2 pincées de sel

Lavez les raisins, séchez-les et faites-les macérer dans le rhum avec les fruits confits coupés en morceaux.

Dans le bol du mixer, ou dans le grand bol du robot équipé avec les crochets, mettez le sucre et le beurre mou coupé en petits morceaux. Mixez par impulsions pour obtenir une crème lisse.

Ajoutez alors, un par un, les 3 œufs entiers, en mixant entre chaque œuf. Versez la farine, la levure, le sel, le rhum de macération des fruits.

Mixez par impulsions. Terminez en ajoutant les raisins et les fruits, préalablement saupoudrés de farine, ce qui évite qu'ils tombent au fond du cake.

Tapissez l'intérieur du moule d'un papier sulfurisé ou d'aluminium. Versez la pâte qui ne doit remplir que les 3/4 du moule.

Mettez à four chaud (th. 6/7) pendant une quinzaine de minutes, sans ouvrir le four. Continuez la cuisson à four doux (th. 4) pendant 1 heure environ. Couvrez d'une feuille d'aluminium en cours de cuisson quand le dessus du cake vous semble bien doré.

CHARLOTTE AUX FRAMBOISES

○ △ □

GÂTEAU ROULÉ PRÉPARÉ
24 H A L'AVANCE

Raisonnable
Préparation : 10 mn
Cuisson : 10 mn

POUR 5/6 PERSONNES :

Pour le gâteau :

- 3 œufs
- 75 g de sucre
- 100 g de farine
- 1/2 paquet de levure
- 1 sachet de sucre
vanillé

Pour le sirop :

- 100 g de sucre
- 1 petit verre de kirsch
- 1 petit verre
de sirop de framboise

Gàrniture :

- 400 g de framboises
au sirop
- 1 pot de gelée
de framboises

Préparez le gâteau roulé selon la recette p.290

Dès que la pâte est prête, séparez-la en deux parties égales.

Faites cuire chaque moitié de pâte dans un moule rectangulaire à bords bas, 10 mn chacun. Dès que la pâte devient blonde, démoulez et roulez le gâteau dans un torchon. Faites de même pour la 2e moitié de pâte.

Préparez un sirop avec 100 g de sucre, le kirsch et le sirop de framboise. Avec ce sirop, mouillez le premier gâteau, tartinez-le de gelée de framboise et roulez-le. Faites de même pour le second gâteau.

Découpez-les, tous les deux, en tranches fines.

Tapissez un moule ou un saladier assez profond, des tranches de gâteau roulé. Puis alternez une couche de framboises égouttées, et une couche de tranches de gâteau.

Terminez par une couche de gâteau, couvrez d'une assiette et laissez au réfrigérateur pendant 24 h.

Démoulez et servez avec de la crème chantilly.

CLAFOUTIS AUX PRUNEAUX

○ △ □

Raisonnable
Préparation : 10 mn
Cuisson : 30 mn

POUR 5/6 PERSONNES :

- 250 g de pruneaux
- 4 œufs
- 125 g de sucre
en poudre
- 1 petit pot
de crème fraîche
- 1/2 verre de lait
- 125 g de farine
- 1 pincée de sel
- 1 cuill. à soupe de sucre
- 1 cuill. à soupe de rhum
- 1 sachet de sucre
vanillé

Faites tremper les pruneaux quelques heures à l'avance dans de l'eau tiède.

Cassez les œufs, réservez les blancs.

Dans le bol du mixer, ou dans le grand bol du robot équipé des fouets, mélangez les jaunes d'œufs avec le sucre, le sel, la crème fraîche, le lait et la farine.

Mixez pour obtenir une pâte lisse.

Beurrez un moule en porcelaine à feu. Versez-y la préparation obtenue. Avec le mixer ou les fouets, battez les blancs en neige ferme, et ajoutez-les avec précaution à la pâte.

Terminez en ajoutant les pruneaux égouttés, le sucre vanillé et le rhum.

Faites cuire à four moyen pendant 30 mn. La surface doit être dorée (th. 5/6). Servez tiède en saupoudrant de sucre.

Variante :
De la même façon, vous ferez des clafoutis aux cerises noires, aux poires, aux pommes, aux quetsches, aux mirabelles.

DÉLICE AUX NOIX

○ △ □

Raisonnable
Préparation : 20 mn
Cuisson : 35 mn

POUR 5/6 PERSONNES :

- 200 g de farine
- 6 œufs
- 300 g de sucre
- 300 g de cerneaux de noix
- 200 g de chocolat
- 2 cuill. à soupe d'eau
- 1 paquet de levure
- 1 pincée de sel

Cassez les œufs et réservez les blancs.

Dans le bol du mixer ou avec le batteur équipé des crochets, mélangez les jaunes d'œufs, le sucre, le sel, les cerneaux de noix découpés en morceaux. Ajoutez ensuite la farine et la levure, progressivement tout en continuant à mixer pour obtenir une pâte homogène.

Montez les blancs en neige, au mixer ou avec les fouets, et incorporez-les délicatement, avec une fourchette, à la pâte obtenue.

Versez la préparation dans un moule beurré et faites cuire à four moyen (6/7) pendant 35 mn environ.

Pendant la cuisson, faites fondre au bain-marie le chocolat avec 2 cuillères à soupe d'eau.

Lorsque le gâteau est cuit, démoulez-le. Laissez-le tiédir avant de le couper en deux dans le sens de l'épaisseur. Placez une couche de chocolat entre les deux moitiés. Gardez-en suffisamment pour le nappage.

Reformez le gâteau et nappez-le du chocolat restant, puis décorez de cerneaux de noix.

FOUGASSE A LA CANNELLE

○ △ □

Bon marché
Préparation : 10 mn
Cuisson : 45 mn (th. 6/7)

POUR 6 PERSONNES :

- 250 g de farine
- 1/2 tasse d'huile
- 2 œufs
- 250 g de sucre
- 2 zestes de citron
- 1/4 de l de lait
- 1 paquet de levure chimique
- 2 cuill. à café de cannelle

Dans le mixer ou avec le batteur équipé des fouets, mettez l'huile, les œufs entiers, le sucre, le zeste de citron.

Mixez ou battez aux crochets à pâtisserie, en incorporant lentement la farine et le lait. La pâte doit être assez liquide et sans grumeaux. Ajoutez la levure et mixez pour bien mélanger.

Tapissez de papier sulfurisé beurré, un moule rectangulaire d'environ 4 cm de hauteur.

Versez la pâte. Saupoudrez de cannelle. Faites cuire à four chaud (th. 7/8) pendant 30 mn.

Démoulez et servez froid.

GÂTEAU ALSACIEN AUX CERISES

○ △ □

Raisonnable
Préparation : 20 mn
Cuisson : 45 mn

POUR 6 PERSONNES :

- 1 kg de cerises noires ou bigarreaux
- 80 g de sucre
- 100 g de beurre
- 100 g d'amandes en poudre
- 1 sachet d'amandes effilées
- 5 œufs
- 1 pointe de cannelle

Faites ramollir le beurre au bain-marie, sans le liquéfier.

Séparez les blancs des jaunes des 5 œufs.

Mettez dans le bol du mixer ou dans le grand bol du robot équipé des fouets, le beurre mou, mixez quelques secondes pour obtenir une mousse, puis ajoutez le sucre, les jaunes d'œufs et la poudre d'amandes. Mixez par impulsions pour obtenir un mélange homogène.

Versez la préparation obtenue dans un moule, en terre de préférence, bien beurré au fond et sur les bords. Ajoutez alors les petits pains au lait découpés en petits morceaux. Mélangez bien à la cuillère de bois.

Montez les blancs en neige avec le mixer ou les fouets et ajoutez-les soigneusement à la préparation puis, pour terminer, versez les cerises et la cannelle en répartissant doucement.

Saupoudrez d'amandes effilées et faites cuire à four moyen (th. 6) pendant 3/4 d'heure.

GÂTEAU AU CHOCOLAT

○ △ □

Raisonnable
Préparation : 15 mn
Cuisson : 40 mn
Glaçage : 5 mn

POUR 4 PERSONNES :

- 3 œufs
- 75 g de beurre
- 75 g de farine
- 100 g de sucre
- 100 g de chocolat
- 1/2 cuill. à café de levure

Glaçage :

- 100 g de chocolat
- 4 cuill. à soupe d'eau
- 50 g de crème fraîche

Faites fondre le chocolat au bain-marie avec 2 cuillères à soupe d'eau. Lorsqu'il est fondu, ajoutez le beurre et laissez fondre hors du feu.

Séparez les blancs des jaunes d'œufs. Dans le bol du mixer ou dans le grand bol équipé des fouets, travaillez les jaunes avec le sucre pour obtenir un mélange clair et mousseux.

Ajoutez progressivement le chocolat fondu et le beurre coupé en petits morceaux, en continuant à mixer ou à battre par impulsions. Vous devez obtenir un mélange homogène. Battez les œufs en neige, au mixer ou avec les fouets, et incorporez-les au mélange, à la fourchette avec précaution.

Beurrez un moule et faites cuire à four doux (th. 5/6) pendant 40 minutes.

Glaçage :

Faites fondre au bain-marie le chocolat et 4 cuillères à soupe d'eau. Quand le chocolat est fondu, ajoutez la crème en remuant sans arrêt et énergiquement. Au moment de servir, nappez le gâteau avec la sauce chocolat.

GÂTEAU AUX FRUITS SECS

○ △ □

Raisonnable
Préparation : 15 mn
Cuisson : 20 mn
+ 40 mn au four (th. 6)

POUR 6 PERSONNES :

- 250 g d'abricots secs
- 250 g de pruneaux
- 125 g de beurre
- 4 cuill. à soupe de farine
- 4 cuill. à soupe de sucre
- 2 œufs
- 1 pincée de sel
- 2 cuill. à soupe de lait
- 1 sachet de levure
chimique

Lavez et faites tremper les fruits secs quelques heures à l'avance. Faites-les cuire ensuite dans leur eau additionnée de 200 g de sucre en poudre. Après 20 mn de cuisson, dénoyautez les pruneaux, coupez les abricots en 2. Laissez refroidir.

Pendant ce temps, faites la pâte au mixer ou au batteur équipé des fouets. Versez la farine, cassez les œufs un à un en mixant entre chaque œuf, ajoutez une pincée de sel, 2 cuillères à soupe de lait, le sucre, le beurre fondu refroidi et la levure. Mixez pour mélanger, mais peu de temps.

Ajoutez les fruits refroidis. Mixez par impulsions pour bien mélanger les fruits.

Versez le tout dans un moule à manqué beurré et fariné.

Faites cuire pendant 35 à 40 mn. Servir tiède.

GÂTEAU HONGROIS AU FROMAGE BLANC

○ △ □

Raisonnable
Préparation : 10 mn
Cuisson : 40 mn (th. 4/5)

POUR 8/10 PERSONNES :

Pâte :

- 250 g de farine
- 100 g de sucre
- 100 g de beurre
- 2 jaunes d'œufs
- 1 dl de vin blanc sec
- 1/2 zeste de citron râpé
- 2/3 d'un paquet de levure
- 1 pincée de sel

Garniture :

- 1 œuf entier
- 50 g de sucre
- 1 sachet de sucre vanillé
- 100 g de raisins secs
- 200 g de fromage blanc

Dans le mixer ou dans le grand bol du robot équipé des crochets, mettez la farine, le sucre, le sel, la levure et le zeste de citron râpé.

Coupez le beurre amolli, en petits morceaux. Ajoutez un jaune d'œuf. Mixez quelques secondes, puis ajoutez le 2e jaune. Mixez à nouveau.

Quand les œufs sont bien mélangés, versez le vin blanc progressivement, tout en mélangeant par impulsions pour obtenir une pâte souple qui puisse être étalée au rouleau.

Tapissez soigneusement un moule de 26 à 28 cm de diamètre

Préparez au mixer la garniture : mélangez ensemble l'œuf entier, le fromage blanc, le sucre vanillé, le sucre, ajoutez juste à la fin du mixage les raisins.

Répartissez cette crème sur le fond de pâte, jusqu'à 2 cm des bords du moule.

Faites cuire à four doux pendant 40 mn.

GÂTEAU ROULÉ

○ △ □

Bon marché
Préparation : 10 mn
Cuisson : 10 mn

POUR 6 PERSONNES :

- 3 œufs
- 100 g de farine
- 175 g de sucre semoule
- 1 sachet de levure chimique

Garniture :

- 1/3 de pot de gelée de groseille ou de confiture ou de crème au beurre, ou crème chantilly mélangée avec fruits rouges

Cassez les œufs et réservez les blancs.

Dans le bol du mixer, ou dans le grand bol du robot équipé des crochets, mettez les jaunes d'œufs et le sucre. Mixez par impulsions pour obtenir un mélange blanc et mousseux. Ajoutez la préparation dans une terrine et avec le mixer ou les fouets, montez les blancs en neige.

Mélangez-les délicatement, mais rapidement, à la pâte qui doit être assez ferme.

Beurrez un moule à bords bas avant d'y verser la pâte.

Faites cuire à four chaud pendant une dizaine de minutes, pendant lesquelles vous préparerez la garniture. Démoulez le gâteau sur la planche à pâtisserie, saupoudrée de sucre cristallisé.

Étalez la garniture chosie et roulez avec précaution mais rapidement avant qu'il durcisse.

Conseil :
— Si vous ne pouvez pas le rouler chaud à cause de la garniture choisie, recouvrez-le une fois démoulé d'un torchon humide et plié en plusieurs épaisseurs. Ainsi, il peut attendre une heure.
— Avec un gâteau roulé garni de gelée de groseille, vous pouvez faire de délicieuses charlottes, le gâteau roulé remplaçant les biscuits à la cuiller.

GÂTEAU SICILIEN AU CHOCOLAT ET AUX AMANDES

○ △ □

Raisonnable
Préparation : 20 mn
(à faire au moins
5 h à l'avance)
Pas de cuisson

POUR 8 PERSONNES :

- 500 g de chocolat à croquer
- 5 cuill. à soupe de rhum
- 250 g de beurre
- 2 cuill. à soupe de sucre semoule
- 2 œufs
- 150 g d'amandes en poudre
- 12 petits beurre
- 2 cuill. à café de vanille en poudre
- sucre glace

Faites fondre le chocolat à feu doux en remuant. Incorporez ensuite le rhum. Retirez du feu. Laissez refroidir.

Dans le bol du mixer ou du batteur équipé des fouets, battez le beurre mou, pour le rendre mousseux. Ajoutez le sucre, les jaunes d'œufs un à un. Ajoutez alors les amandes pilées ou en poudre, le chocolat refroidi, la vanille. Mixez quelques secondes et versez dans une terrine.

Battez les blancs d'œufs en neige ferme. Incorporez-les délicatement au mélange. Ajoutez les biscuits émiettés.

Versez délicatement le mélange avec une cuillère, dans un moule à charlotte beurré. Égalisez la surface.

Couvrez le moule avec une feuille d'aluminium et mettez-le au frigidaire au moins 4 heures. Démoulez quand le gâteau est bien ferme, en ayant soin de tremper le moule rapidement dans de l'eau chaude.

Saupoudrez de sucre glace.

POIRÉE DE NEVERS

○△□

Raisonnable
Préparation : 10 mn
Cuisson : 1 heure (th. 5/6)

POUR 6 PERSONNES :

- 750 g de poires
- 3 cuill. à soupe de cognac
- 3 cuill. à soupe de sucre
- 200 g de farine
- 4 œufs
- 100 g de sucre
- 1 pincée de sel
- 1/2 l de lait
- 1 cuill. de sucre glace
pour saupoudrage

Pelez les poires. Coupez-les en tranches après avoir enlevé pépins et cœurs. Faites-les macérer dans le cognac et 3 cuillères à soupe de sucre pendant que vous préparez la pâte.

Dans le bol du mixer ou avec le batteur équipé des crochets, mettez la farine, le sel, 100 g de sucre, les œufs entiers. Mixez le tout en ajoutant progressivement le lait.

La pâte ne doit pas faire de grumeaux. Presque à la fin du mixage, ajoutez les poires et leur jus de macération. Versez le tout dans un moule beurré et faites cuire à th. 5/6 pendant une heure.

Laissez refroidir. Démoulez et saupoudrez de sucre glace.

QUATRE-QUARTS

○ △ □

Bon marché
Préparation : 10 mn
Cuisson : 30/40 mn

POUR 6 A 8 PERSONNES :
moule à manqué
de 24 cm de diamètre

- 3 œufs de 50 g = 150 g
- le même poids
de sucre = 150 g
- le même poids
de farine = 150 g
- le même poids
de beurre = 150 g
- 1 cuill. rase de levure
en poudre
- 2 pincées de sel
- 1 sachet de sucre
vanillé ou zestes râpés
(orange ou citron)

Faites fondre doucement le beurre dans le moule.

Dans le bol du mixer, ou dans le grand bol du robot équipé des fouets, mélangez les œufs entiers et le sucre pour obtenir une crème.

Ajoutez le beurre et le parfum choisi. Mixez par impulsions. Versez ensuite en une fois sur le mélange, la farine, la levure et le sel. Mixez plusieurs fois par impulsions, ou en continu, pour obtenir une pâte homogène.

Versez dans le moule beurré, et faites cuire à four chaud (th. 6/7) pendant 30 à 40 mn. Protégez la surface avec une feuille d'aluminium quand elle est dorée.

Variante :
Au lieu de mixer les œufs entiers, séparez les blancs, montez-les en neige, et ajoutez-les à la pâte délicatement juste avant d'enfourner.

Conseil :
— Vous pouvez fourrer le quatre-quarts, après l'avoir coupé en deux, avec de la confiture de fraise, de la crème patissière, etc.
— Vous pouvez ajouter à la pâte, avant le dernier mixage, une cuillère à soupe de chocolat ou de café en poudre. Vous obtiendrez un gâteau marbré.

SAVARIN

○ △ □

Bon marché
Préparation : 10 mn
Cuisson : 25 mn

POUR 6 PERSONNES :

Moule en couronne :

- 120 g de farine
- 50 g de beurre
- 150 g de sucre semoule
- 3 cuill. à soupe de lait
- 1 cuill. à café
de levure chimique
- 3 œufs
- 1 pincée de sel

Sirop :

- 1/2 litre d'eau
- 1 paquet de sucre
vanillé
- 250 g de sucre
- 6 cuill. à soupe de rhum

Dans le bol du mixer, ou dans le grand bol du robot équipé des fouets, mettez les jaunes d'œufs avec le sucre et le sel. Mixez jusqu'à ce que le mélange blanchisse et devienne onctueux.

Ajoutez le lait chaud, mixez par impulsions, puis la farine, et le beurre fondu tiède, en continuant le mixage, versez la levure au dernier moment. Transvasez le mélange dans une terrine : avec le mixer ou les fouets, montez les blancs en neige et ajoutez-les à la préparation avec précaution, mais rapidement.

Versez le tout dans un moule en couronne, largement beurré et fariné, et faites cuire à four chaud (th. 6) pendant 25 mn.

Quelques minutes avant la fin de la cuisson, faites le sirop avec l'eau, le sucre et le rhum. Retirez du feu dès que l'ébullition commence.

Démoulez le gâteau quand il est froid et arrosez-le tout de suite avec le sirop chaud qui doit être complètement absorbé.

Garnissez le centre du savarin avec de la crème chantilly ou de la crème patissière.

TARTE AUX POIRES BOURDALOUE

○ △ □

Raisonnable
Préparation : 25 mn
Cuisson : 35 mn

POUR 5/6 PERSONNES :

Pâte brisée :

- 200 g de farine
- 100 g de beurre
- 1/2 cuill. à café de sel fin
- 1 cuill. à dessert d'huile
- 1/2 verre d'eau
- 100 g de beurre

Garniture :

- 5 belles poires
- 5 œufs
- 100 g de sucre
- 20 cl de crème fraîche

Préparez la pâte brisée selon la recette de base p.258

Pendant que la pâte repose, préparez la garniture.

Épluchez les poires, coupez-les en deux et évidez-les.

Dans le bol du mixer, ou au batteur équipé des fouets, mixez les œufs entiers et le sucre pour obtenir un mélange mousseux, ajoutez la crème fraîche, en mixant encore quelques instants.

Tapissez le moule avec la pâte et disposez dessus, en marguerite, les moitiés de poires.

Versez sur les demi-poires la préparation œufs-sucre-crème fraîche et faites cuire à four chaud (7/8) pendant 35 mn.

Servez tiède.

LES RAFRAÎCHISSEMENTS ET LES COCKTAILS

Quelques suggestions... pour l'exemple, et ensuite, vive l'imagination !

LAIT A LA BANANE △□

Pour 4 personnes :

2 bananes
3 cuillères à soupe de sucre semoule
50 cl de lait
1 pincée de cannelle ou vanille
4 cubes de glace

Dans le bol du mixer mettez les bananes pelées et coupées en morceaux et 1/2 verre de lait. Mixez par impulsions. Versez le lait, la canelle et les glaçons. Servez dans des verres réfrigérés.

COCKTAIL AUX FRUITS ROUGES △□

Pour 4 personnes :

1 tasse de groseilles
1 tasse de framboises
1 tasse de fraises
2 cuillères à soupe de sucre en poudr
1/2 jus de citron

Mettez les fruits nettoyés dans le boca du mixer. Mixez quelques secondes. Ajoutez ensuite le sucre et mixez à nouveau quelques secondes.

COCKTAIL D'AGRUMES △ □

Pour 4 personnes :

1 citron non traité
1 orange
2 clémentines
1 pamplemousse
4 cuillères à soupe de sucre en poudre
eau gazeuse

Pressez le jus des fruits. Mettez-le dans le bocal du mixer avec le citron entier coupé en morceaux. Mixez en continu pour obtenir une purée fine.
Puis ajoutez l'eau gazeuse et mixez à nouveau. Versez dans une passoire et servez très frais.

LAIT AUX PÊCHES △ □

Pour 4 personnes :

4 pêches fraîches ou en sirop
4 tasses de lait
1 cuillère à soupe de sucre

Mettez dans le mixer les 4 pêches et les 4 tasses de lait, plus le sucre et les glaçons. Mixez pendant 20 secondes. Servez frais.

RAFRAÎCHISSEMENTS RAISIN OU POMME △ □

Pour 1 litre environ

1/2 litre de jus de pommes
ou de raisin
1 verre de jus d'orange
1 verre de jus de citron
1 verre de jus d'ananas
(ou 1/4 d'ananas frais)
2 cuillères à soupe de sucre
5 ou 6 glaçons

Mixez le tout avec les glaçons. Servez très frais.

JUS DE TOMATES △ □

Pour 4 personnes :

4 à 5 tomates
1 carotte
1 branche de céleri
2 glaçons + eau

Mettez les tomates pelées et coupées en 4, la carotte et la branche de céleri coupées en morceaux, sel et poivre. Mixez par impulsions pour obtenir une purée fine puis ajoutez les glaçons et l'eau selon le goût. Mixez à nouveau quelques instants. Servez frais.

MILK SHAKE AU CAFÉ △ □

Pour 4 personnes :

1/4 de glace au café
25 cl de crème liquide
4 à 6 cubes de glace

Versez les glaçons dans le bol du mixer
et broyez la glace par impulsions pour
obtenir de la glace pilée.
Ajoutez-la au café et à la crème fraîche.
Mélangez par impulsions.
Servez dans des verres réfrigérés.

COCKTAIL AUX FRUITS EXOTIQUES △ □

Pour 4 personnes :

3 mangues
300 g de litchis
2 cuillères à soupe de sucre glace
le jus d'un citron
glaçons

Coupez les mangues en deux,
évidez-les, émincez-les.
Épluchez les litchis, dénoyautez-les.
Placez le tout dans le mixer. Mixez le
temps nécessaire pour obtenir un coulis
liquide.
Ajoutez le sucre et le jus de citron.
Mixez à nouveau pendant 15 secondes
en ajoutant les glaçons.

307

PUNCH AU LAIT △ □

Pour 1 personne :

1 jaune d'œuf
1/3 de lait
1/3 de rhum
1/2 cuillère de sucre

Mixez le tout avec de la glace en cubes.
Montez le blanc d'œuf en neige et
ajoutez-le au mélange obtenu. Servez
dans un verre avec une pincée de noix
de muscade.

GIRONDIN △ □

Pour 1 personne :

le jus d'un demi citron
1/2 cuillère à soupe de sucre en poudre
6 centilitres de bordeaux rouge
1 cuillère à café de rhum

Mixez et servez avec une paille.

BLANCHE DE BLANCHE △ ☐

Pour 1 personne :

1/6 de jus d'orange
5/6 de champagne
1 cuillère de jus de citron
1 soupçon d'angostura

Mélangez doucement dans le mixer
avec de la glace en cubes.
Servez dans un calice.

SAN PEDRO △ ☐

Pour 1 personne :

1/2 de bitter amer
1/6 de mirabelle
1/6 de gin
1/6 de rhum

Mixez avec 2 cubes de glace. Servez
dans un verre évasé avec une feuille
de salade verte.

GIN FIZZ △ □

Pour 1 personne :

Le jus de 2 citrons
1/2 verre de gin
25 g de sucre
2 cubes de glace

Mettez tous les ingrédients dans le bocal du mixer et mixez quelques secondes.
Variante :
Avec le jus de deux oranges.

CACAO FLIP △ □

Pour 1 personne :

1 œuf
1/2 de marasquin
1/2 de chartreuse jaune
1 cuillère de cacao en poudre

Mélangez avec des cubes de glace dans le mixer. Servez avec une pointe de muscade.

ANANAS AU KIRSCH △ □

Pour 1 personne :

**2 tranches d'ananas frais
2 ou 3 morceaux de sucre
un peu d'eau
2 cuillères à café de Kirsch**

Épluchez l'ananas. Coupez-le en tranches et les tranches en morceaux. Mettez tous les ingrédients dans le bocal du mixer.
Servez très frais.

CAFÉ IRLANDAIS △ □

Pour 1 personne :

**1/3 de café chaud
1/3 de crème fraîche battue
1/3 de whisky**

Versez dans le verre le café et le whisky. Mélangez.
Mixez la crème en Chantilly. Complétez le verre avec la Chantilly.

CAMOMILLE DRY △ ▢

Pour 1 personne :

1/5 de champagne
1/5 de vodka
3/5 de gin

Mixez quelques secondes et ajoutez à la fin une petite tasse d'infusion de camomille. Servez dans le verre avec de la glace à volonté.

CALIFORNIE △ ▢

Pour 1 personne :

1/4 de jus de citron
3/4 de whisky
1 cuillère à soupe de grenadine
1 petite cuillère de sucre

Mixez le tout et servez dans une coupe avec des glaçons.

CABOURG △ □

Pour 1 personne :

1/4 de jus de citron
3/4 de calvados
3 cubes de glace

Mixez avec de la glace pilée.
Remplissez aux 2/3 une coupe haute,
ajoutez du soda et un zeste de citron.

VODKA ORANGE △ □

Pour 1 personne :

3/5 de jus d'orange
2/5 de vodka
3 cubes de glace

Mixez avec de la glace pilée. Servez
dans une flute haute avec un zeste de
citron et une tranche d'orange.

INDEX DES RECETTES

LES ENTREMETS ET LES PÂTISSERIES

Les photos sont du STUDIO 111, Paris.
Les objets ont été gracieusement prêtés par
CIAT - 32, rue de Paradis, Paris :
Duralex, Compagnie nationale de porcelaine, Coquet, Hutschenreutcheur,
Jean Couzon, Porcelaine de Paris, Verrerie d'art de Bendor,
et
Dehillerin, La Carpe.
La mise en page a été exécutée par les Studios Gérard, Paris.
Imprimé en Italie sur les presses de : Istituto Italiano d'Arti Grafiche - Bergamo.
Dépôt légal : 2e trimestre 1981.
I.S.B.N. : 2-903101-30-2.

BRUNÉTOILE, 17, rue des Dames-Augustines, 92200 NEUILLY.
Téléphone : 758.66.00.
Télex : 610.461 F.